对外汉语教材系列

Chinese as Foreign Language Series

中级汉语口语

下册

INTERMEDIATE SPOKEN CHINESE

Part Two

刘德联　刘晓雨　编著

by Liu Delian and Liu Xiaoyu

北京大学出版社

PEKING UNIVERSITY PRESS

图书在版编目（CIP）数据

中级汉语口语　下册/刘德联，刘晓雨编著. -北京：北京大学出版社，1996.10
ISBN 7-301-03217-X

Ⅰ. 中…　Ⅱ. ①刘…　②刘…　Ⅲ. 汉语-口语-对外汉语-教学-教材　Ⅳ. H195. 4

中国版本图书馆（CIP）数据核字（96）第 15843 号

书　　　名：中级汉语口语（下册）
著作责任者：刘德联　刘晓雨　编著
责 任 编 辑：沈浦娜
标 准 书 号：ISBN 7-301-03217-X/H・327
出　版　者：北京大学出版社
地　　　址：北京市海淀区中关村北京大学校内　100871
电　　　话：出版部 62752015　发行部 62559712　编辑部 62752032
排　印　者：中国科学院印刷厂
发　行　者：北京大学出版社
经　销　者：新华书店
787×1092 毫米　16 开本　12.375 印张　230 千字
1997 年 2 月第一版　2004 年 2 月第十二次印刷
定　　　价：28 元

目　　录

序

学习外语，按说应该是听、说、读、写并重，但在实际教学中，往往可以根据学生的水平和需要而有不同程度的侧重。近些年来，我国有不少高等院校的对外汉语教学单独设置了口语课程，侧重听和说的训练，这是非常必要的。外国朋友在中国学汉语和在他们自己的国家学，环境完全不同，他们来到中国以后，迫切感觉需要的就是提高口语能力以适应陌生的语言和生活环境，只靠一般汉语课循序渐进地学语音、词汇和语法，是远远不能满足他们每天生活中听和说的需要的。专门为他们开设口语课，正可以弥补这方面的不足。近几年来，国内已出版了一些专供外国朋友学习口语用的教材，各自从不同的角度对如何讲授口语课作了一些很有意义的探索，这是非常可喜的现象。但是，如何突出口语课的特点，使它和其他汉语课有明显的分工，应该说是至今还没有很好解决的问题。

这部《中级汉语口语》是北京大学对外汉语教学中心刘德联和刘晓雨两位老师合编的，近几年来他们一直为外国留学生讲授汉语口语课程，积累了相当丰富的教学经验，最近又在总结过去一些口语教材的优缺点的基础上编写了这部教材，它以密切结合学生口语的实际需要为编写主线，内容相当活泼生动，语言也比较规范自然，尤其是在每一单元之后设置了"口语知识"和"口语常用语"两项内容，既起到了复习已学到的汉语知识的作用，又能把这些知识集中到口语的角度来认识，对学生提高口语能力无疑有很大帮助，这是非常有意义的尝试。希望这部教材的出版能对今后汉语口语课的建设起到推动作用，使汉语口语课从目前的探索阶段走向成熟，逐步形成一套真正有自己特色的比较完整的口语课体系。这恐怕不只是本书两位编者的希望，也是所有汉语教师的希望。我正是怀着这种希望愿意为这部教材写出这篇短序的。

林　焘

1996 年 4 月于北京大学燕南园

前　言

语言是随着社会的发展而发展的，语言教材也应不断更新。这部《中级汉语口语》就是基于这种原则而编写的。

这部教材以具有一定汉语基础的来华进修的留学生为主要对象，课文内容紧紧围绕外国留学生的在华留学生活，选取留学生可能会遇到的情景；安排自然、生动的口语对话，以满足留学生的日常生活需要。

本教材所选生词主要是国家对外汉语教学领导小组办公室公布的《汉语水平词汇与汉字等级大纲》中乙级以上的词汇，甲级词和部分常用的乙级词没有作为生词收入。

本教材在总结前人编写教材的经验教训的基础上，力求突破与创新，突出口语教材的特性。其特点主要体现在以下几个方面：

其一，以若干主线人物贯串始终，赋予人物一定的性格特征，让不同性格的人物说出不同风格的语言，避免出现书中人物千人一面，干巴巴问答的现象。

其二，注意社会发展趋势，及时淘汰已过时或即将过时的语言，在安排课文内容和语言时“向前看”，把对一些社会新生事物的介绍及有关的会话内容收入到课文之中，如BP机的寻呼方式，计算机的汉字输入，各种新的交通工具的乘坐常识等等。

其三，安排大量由浅入深的实用性练习，练习方式变“词本位”为“句本位”，将重点放在情景会话上，要求教会学生在不同的场景中说出恰当的话语。

其四，口语知识的系统化讲解。在教材每一单元之后设置《口语知识》一项内容，对口语中经常使用的一些语言现象，从口语语音到口语语法，进行比较系统的归纳，然后布置一些相关的练习，帮助学生巩固所学知识。

其五，口语常用语的补充。在教材每一单元之后，增设《口语常用语》。将口语中经常使用的某些交际语言分门别类地进行适当的归纳，帮助学生了解同一情景下不同的表达方式。

本书在编写过程中，得到北京大学对外汉语教学中心部分教师的热情指教，林焘先生在百忙之中为本书作序，张园老师参加了本书前期准备工作，北京大学出版社的沈浦娜老师提出许多建设性意见，在此，一并表示感谢。

刘德联　刘晓雨

1996 年 4 月于北京大学

第一课　寒假过得怎么样？

※※※※※※※※※※※※※※※※※※※※※※※※※※※※※※※※※※※※※※※

热身话题：

1．如果你是本班的老同学，请你谈谈你的假期生活；

2．如果你是一个新同学，请你谈谈你对中国的初步印象。

※※※※※※※※※※※※※※※※※※※※※※※※※※※※※※※※※※※※※※※

玛丽、大卫和安娜在学校自助餐厅吃饭，田中和新来的日本留学生山本端着饭菜走了过来……

玛　丽：田中！来，坐这儿。

田　中：我给你们介绍一下儿，（对山本）这些都是我的好朋友：玛丽、安娜，还有大卫；（对玛丽等）这位是新来的日本留学生，山本志雄，我的先辈。

安　娜：先辈？

田　中：他在大学里比我高几个年级，我应该叫他先辈。

安　娜：这和中国人说的“先辈”可不是一个概念。

玛丽等：你好！

山　本：初次见面，请多关照。

安　娜：（对田中）我看你们日本人见面总是说这两句。（笑着对山本说）“先辈”，快请坐吧。

玛　丽：看你，不管认识不认识，见面就开玩笑。

（田中和山本坐下）

田　中：安娜，寒假过得怎么样？

安　娜：和玛丽一起转了半个中国，差点儿没累死。

玛　丽：累是累，不过，还真是开了眼了。哎，你们看过乐山大佛吗？那大佛有七十多米高，一只脚上就能站好几十人，可气派了！回头我拿照片给你们看看。

安　娜：我最喜欢去的地方还是华清池，那儿的风景别提多漂亮了。说真的，我挺羡慕杨贵妃的，在那么美的地方，和自己的心上人尽情享受——哦，太浪漫了！

玛　丽：你还做起贵妃梦来了！哎，大卫，你假期上哪儿去了？

大　卫：说来惭愧，我假期参加了大学生登山队，到中国的青海登山去了。

玛　丽：登山是好事啊，有什么惭愧的？

大　卫：登山当然是好事，可我的身体不争气——高山反应，还挺厉害，结果住进了医院，一住就是十几天，等我出了院，人家也下山了，我就跟登山队一块儿回来了。下火车的时候，欢迎人群把我也当做登山英雄来欢迎，你说这叫什么事啊！

玛　丽：没关系，英雄虽然没当成，可也去了一趟青海，就算是去旅游了呗。

大　卫：事到如今，也只好这么安慰自己了。不过我在医院里也没白住，交了不少朋友，医院里的那些藏族小护士对我既热情又耐心，真让我感动。出院的时候，我还真舍不得离开那儿呢。

安　娜：哎，咱们别光顾自己聊天儿啊，这儿还有客人哪。田中，你这位朋友是学什么的？是本科生还是进修生？

田　中：他呀，雄心勃勃，是来考博士生的！他的专业是国际政治。

安　娜：哦。这位“先辈”真了不起！

山　本：我的汉语水平还不高，请大家多多指教。

安　娜：瞧，又谦虚上了。

玛　丽：你们看！那不是王峰吗？（喊）王峰！

（王峰端着饭菜走了过来）

玛　丽：王峰，你不是说假期去学车吗？怎么样？会开了吗？

王　峰：那当然了，车本都拿到了，就是没钱买车。

玛　丽：要是有了车，你能带上我们到街上去兜兜风吗？

王　峰：没问题，只要你们敢坐。

安　娜：啊？就这水平啊！那你饶了我吧！我还想多活几天哪！

词　语

1.	自助餐厅		zìzhù cāntīng	cafeteria
2.	先辈	（名）	xiānbèi	elder generation
3.	概念	（名）	gàiniàn	concept
4.	关照	（动）	guānzhào	to look after
5.	开眼		kāi yǎn	to widen one's view
6.	气派	（形）	qìpài	magnificent
7.	尽情	（副）	jìnqíng	to one's heart's content
8.	享受	（动）	xiǎngshòu	to enjoy
9.	做梦		zuò mèng	to dream
10.	惭愧	（形）	cánkuì	to be ashamed
11.	争气		zhēng qì	to work hard to win honour for
12.	高山反应		gāoshānfǎnyìng	mountain sickness
13.	人家	（代）	rénjia	(used to refer to a certain person or people)
14.	当做	（动）	dàngzuò	to reguard as; to consider
15.	英雄	（名）	yīngxióng	hero
16.	呗	（助）	bei	(indicating that the idea is simple and easy to understand)
17.	如今	（名）	rújīn	now
18.	耐心	（形）	nàixīn	patient
19.	舍不得		shěbude	unwilling
20.	雄心勃勃		xióngxīnbóbó	with high aspiration
21.	博士	（名）	bóshì	doctor

22.	指教	（动）	zhǐjiào	to give advice or comments
23.	谦虚	（形）	qiānxū	modest
24.	兜风		dōu fēng	to go for a drive
25.	饶	（动）	ráo	to have mercy on; to forgive

注　释

1. **先辈**(bèi)　泛指行辈在先的人，现多指已去世的令人钦佩值得学习的人。
2. **青海**　中国西部的一个省份。
3. **车本**　指驾驶执照。

练　习

（一）

一、朗读并正确理解下面的句子，注意带点词语的用法：

1. 和玛丽一起转了半个中国，差点儿没累死。
2. 那儿的风景别提多漂亮了。
3. 说真的，我挺羡慕杨贵妃的。
4. 你还做起贵妃梦来了！
5. 说来惭愧，我假期参加了大学生登山队，到中国的青海登山去了。
6. 登山是好事啊，有什么惭愧的？
7. 你说这叫什么事啊！
8. 事到如今，也只好这么安慰自己了。
9. 瞧，又谦虚上了。
10. 啊？就这水平啊！那你饶了我吧！我还想多活几天哪！

二、根据课文，用上所给的词语回答下面的问题：

1. 玛丽和安娜寒假去哪儿了？给她们印象最深的地方是什么？
（开眼　气派　羡慕　尽情　享受　浪漫）
2. 大卫为什么觉得惭愧？
（参加　争气　当做　交朋友　热情　耐心　舍不得）
3. 请介绍一下新来的日本留学生山本志雄。
（先辈　雄心勃勃　博士　专业）

三、请你说说：

1. 你喜欢去什么样的地方旅游？为什么？
2. 说说你在中国旅行的苦与乐。
3. 介绍你新认识的一位同学或朋友。

（二）

四、用指定的词语完成下面的对话，然后用它做模仿会话练习：

1. 甲：听说你买了一台新电脑，感觉怎么样？
   乙：____________________。（别提多……了）
2. 甲：你对她就没有一点儿感情吗？
   乙：____________________。（说真的）
3. 甲：你在中国学了那么久，汉语一定不错吧？
   乙：____________________。（说来惭愧）
4. 甲：他们让我在那么多人面前谈恋爱经过，这多不好意思！
   乙：____________________。（有什么……的）
5. 甲：有病就得慢慢养，你着急又有什么用呢？
   乙：____________________。（事到如今，也只好……了）
6. 甲：我这次考试得了一百分！
   乙：____________________。（瞧，又……上了）
7. 甲：来，把这杯酒干了！
   乙：____________________。（你饶了我吧）

五、下面两组短语中，“差点儿”后面都有“没”字，体会它在短语中的不同作用，然后把下面的短语说成完整的句子：

（一）

1. 差点儿没摔倒
2. 差点儿没哭出声来
3. 差点儿没闹笑话

（二）

1. 差点儿没见着
2. 差点儿没赶上飞机
3. 差点儿没答上来

六、根据所给的题目，选用下面的词语和短句会话：

1. 谈谈第一次坐飞机的感受；
2. 谈谈第一次登台演出或讲演的感受；
3. 谈谈在游乐场玩惊险项目的感受；
4. 自由选题。

差点儿（没）……　　……是……，不过……　　别提多……了

说真的　　有什么……的　　你说这叫什么事啊　　回头

事到如今，也只好……　　既……又……　　又……上了

光顾　　你饶了我吧

七、词语练习：

1. 请你用学过的五个形容词，形容一座有名的建筑物；
2. 请你用学过的五个形容词，介绍一位关心你的人。

八、成段表达：

1. 介绍在你们国家大学生是怎样安排自己的假期生活的。
2. 介绍你在中国旅行的经验（如：怎样买火车票，怎样找旅馆……）

补充词语

1. 养	（动）	yǎng	to recuperate；to rest
2. 登台		dēng tái	to go up on the stage
3. 游乐场	（名）	yóulèchǎng	amusement park
4. 惊险	（形）	jīngxiǎn	alarmingly dangerous；breathtaking；thrilling
5. 形容	（动）	xíngróng	to describe
6. 建筑物	（名）	jiànzhùwù	building

第二课　我想学中国功夫

※※

热身话题：

1. 你喜欢早起吗？为什么？
2. 你每天锻炼身体吗？在什么时间、以什么方式锻炼？有什么效果？
3. 你与中国的老人有过接触吗？谈谈他们给你的印象。

※※

清晨，玛丽和安娜来到湖边，遇到了正在跑步的王峰……

玛　丽：
安　娜：（招手）王峰，早上好！

王　峰：（停下脚步）咦？是你们俩？起得这么早！今天太阳是不是从西边出来啦？

玛　丽：说话可别带刺儿啊！我们就不能早点儿起吗？

安　娜：这玛丽，今天也不知怎么了，还不到五点半就把我叫起来了，说是到湖边来看看热闹。大早上的，有什么热闹可看？到现在我还没醒过来呢！（打了一个哈欠）

玛　丽：这还不热闹哇？你看，那些拿着小录音机跑步的，坐在石头上看书的，肯定都是大学生；这边喊嗓子的，刚才唱了几句，我听着像是京剧；对岸那些人一定是练太极拳的；还有……

安　娜：对了，还有一大早在湖边谈恋爱的呢！

玛　丽：王峰，那边几位老人在干什么？

王　峰：过去聊聊不就知道了？对不起，我还得跑两圈儿，回头见。

（湖边小树林里，几位老人在聊天儿，身边的树枝上挂着几个鸟笼子）

玛　丽：（对老人甲）大爷！您早哇。您每天都起这么早吗？

老人甲：是啊，岁数大了，觉少，一到五六点钟，想睡也睡不着了。出来散散步，和老哥儿几个聊聊，也算是个乐儿呀！

安　娜：大爷！这树上的鸟笼子都是您的吧？您每天都带它们出来散步吗？

老人甲：可不！人老了，闲着没事，孩子们又不在身边，所以养几只鸟做个伴。这鸟哇，跟人一样，老在家里待着，就变懒了，不爱叫了，得经常带它们出来遛遛。

玛　丽：怎么还拿蓝布盖着呀！

老人甲：它认生啊，一到了生地，见了生人，就容易受惊。

安　娜：我们可以看一下吗？

老人甲：看看吧。（掀开盖布）怎么样？长得还可以吧？这叫画眉，叫得可好听了。不过，要是养不好，它也不叫。（鸟来回扑动）对不起，我得盖上了，这鸟有点儿不高兴了。

玛　丽：（对安娜）准是看你比它漂亮，心里不舒服。那鸟一定觉得奇怪：哪儿飞来这么一只美丽的“大鸟”？

安　娜：你这不是骂我吗？

玛　丽：这怎么是骂你呢？中国古代把美女说成“沉鱼落雁”、“闭月羞花”，不就是这个意思吗？

安　娜：别在这儿瞎解释啦！哎，咱们到那边的小岛上去看看。

（玛丽和安娜来到湖心岛，几位老年妇女围成圈儿在练着什么）

玛　丽：安娜，你看这些老太太在干什么？

安　娜：不用问，肯定是在练气功。我听说中国现在是“气功热”，男女老少都在学气功。

玛　丽：我看不像，她们的动作挺简单的，像是在做操。咱们还是过去问问吧。（对老人乙）大妈！您是在练气功吧？

老人乙：这哪是气功啊！我们只是几个老姐妹凑在一起，活动活动身子。姑娘，你是不是也想跟我们练练哪？我们这儿都是老太太，还就缺个姑娘哪！

安　娜：大妈！不瞒您说，我想学中国功夫，以后要是遇见坏人，我这么一比划，就能把他吓跑了。

老人乙：说的是，年轻人有年轻人的运动。姑娘，前边不远，有个武术辅导站，你们到那儿去看看吧。

安　娜：谢谢您，大妈。（对玛丽）看来咱们今天没白来，找着个练武术的地方。怎么样，跟我一起学武术吧？学学那个什么拳？……对，少林拳。

玛　丽：我倒是更想学太极拳。

安　娜：那咱们各找各的师傅，学成以后，咱们比试比试。

玛　丽：别跟我过不去呀！我可打不过你。

词　　语

1.	刺儿	（名）	cìr	sarcasm
2.	醒	（动）	xǐng	to be awake
3.	哈欠	（名）	hāqian	yawn
4.	圈儿	（量）	quānr	circle
5.	树枝	（名）	shùzhī	branches of a tree
6.	笼子	（名）	lóngzi	birdcage
7.	觉	（名）	jiào	sleep
8.	乐儿	（名）	lèr	joy
9.	闲	（形）	xián	idle; not busy
10.	做伴		zuò bàn	to keep sb. or sth. company
11.	懒	（形）	lǎn	lazy
12.	遛	（动）	liù	to stroll
13.	盖	（动）	gài	to cover
14.	认生	（动）	rènshēng	to be uncomfortable with new person or place

15. 生（地）	（形）	shēng (dì)	stranger or unfamiliar
16. 受惊		shòu jīng	to be startled
17. 掀	（动）	xiān	lift
18. 画眉	（名）	huàméi	a kind of thrush
19. 扑	（动）	pū	to flap
20. 围	（动）	wéi	to surround
21. 气功	（名）	qìgōng	*qigong*
22. 做操		zuò cāo	to do exercises to make body strong
23. 功夫	（名）	gōngfu	*kungfu*
24. 比划	（动）	bǐhua	to gesture
25. 武术	（名）	wǔshù	*wushu*
26. 拳	（名）	quán	boxing
27. 比试	（动）	bǐshi	to have a contest

注　释

1. **太阳从西边出来**　指事情违反常理或人的行为反常，多用于开玩笑或讽刺。
2. **太极拳**　流传很广的一种拳术，动作柔和缓慢，既可用于防身，又可增强体质。
3. **沉**（chén）**鱼落雁**（yàn）　**闭**（bì）**月羞**（xiū）**花**　指女人之美，使游动的鱼、高飞的雁、天上的月、地上的花都不敢展示自己优美的身姿。
4. **哥儿（几个）**　指兄弟，也用于要好的男性朋友之间。
5. **少林拳**　拳术的一种，因少林寺僧人练习这种拳术而得名。
6. **过不去**　为难。“跟某人过不去”就是“使某人为难”。

练　习

（一）

一、朗读并正确理解下面的句子，注意带点词语的用法：

1. 今天太阳是不是从西边出来啦？
2. 说话可别带刺儿啊！
3. 大早上的，有什么热闹可看？
4. 到现在我还没醒过来呢！
5. 这还不热闹哇！
6. 过去聊聊不就知道了？
7. 别在这儿瞎解释啦！
8. 说的是，年轻人有年轻人的运动。
9. 别跟我过不去呀！

二、根据课文，用上所给的词语回答下面的问题：

1. 玛丽她们为什么要早起？她们在湖边看到了什么？
   （看热闹　大学生　京剧　练太极拳　谈恋爱）
2. 老大爷为什么每天很早起来到公园？
   （岁数　睡不着　散步　聊　乐儿）
3. 老人为什么养鸟？为什么带它到公园里来？
   （闲　做伴　待　懒　遛）
4. 安娜想学什么？为什么？
   （功夫　少林拳　遇见　比划　吓跑）

三、大家谈：

1. 早起的好处；
2. 锻炼的最佳时间和方式；
3. 谈谈你熟悉的一位老人的生活情况；
4. 你想学中国武术吗？想学哪一种？

四、复述：

以玛丽的口吻，复述这天她们在湖边的所见所闻。

（二）

五、完成下面的对话，然后用上带点儿的词语做模仿会话练习：

1. 甲：______________________。
   乙：今天太阳是不是从西边出来了？
2. 甲：我想穿裙子参加今天的晚会。
   乙：大冷天的，______________________。
3. 甲：我看你买的并不便宜。
   乙：这还不便宜呀，______________________。
4. 甲：不知她病得怎么样了，真让人担心。
   乙：______________________不就知道了？
5. 甲：我觉得这个字应该念 xíng。
   乙：别在这儿瞎猜了，______________________。
6. 甲：这个公园真没有意思。
   乙：可不！______________________。
7. 甲：我们也应该为山区的孩子们做点儿什么。

乙：说的是，________________。

六、对比下列两组句子中“过不去”的意思和用法，然后分别作模仿对话练习：

1. ①这么深的河，没有船可过不去。
   ②前面有很多车，我们的车过不去。

2. ①你为什么不让我去？这不是跟我过不去吗？
   ②你还是参加我们的晚会吧，别跟大家过不去。

七、下面是一段爷爷和孙子的对话，谈谈你支持哪一方，并说出为什么：

孙子：爷爷，今天我们老师说，在家里养鸟是不爱鸟的表现。

爷爷：哪能那么说呢！你爷爷我不爱鸟？我给它吃，给它喝，早晨带它去散步，有病给它吃药，我对它就像对孩子一样，还说我不爱鸟！

孙子：可是您整天关着它，它心里愿意吗？您应该让它回到大自然中去，让它过自由自在的生活。

爷爷：你想得倒挺好，我要是把这些鸟放了，不出三天，就都得饿死、冻死、病死，那是爱鸟吗？再说，这鸟跟人一样，养长了，有感情，你放了它，它还会回来的。

孙子：我说不过您。等有空儿我请大哥哥大姐姐们来帮我跟您辩论。

爷爷：好哇，你们要是能说服我，我就把鸟放了。

孙子：好，一言为定。

八、成段表达：

1. 介绍你们国家人们的日常锻炼方式。
2. 以“故乡的清晨”为题，讲述故乡清晨的情景。

九、社会实践：

早晨去附近的街道或公园看看，和早起的人们聊聊，然后在班里讲述你的经历和感受。

补充词语

1. 口吻	（名）	kǒuwěn	tone
2. 复述	（动）	fùshù	to retell (in language learning)
3. 裙子	（名）	qúnzi	skirt
4. 山区	（名）	shānqū	mountain area

5. 效果	（名）	xiàoguǒ	effect；result
6. 大自然	（名）	dàzìrán	nature
7. 冻	（动）	dòng	to freeze

补充材料

早上好！北京

北京冬天的早上，天气很冷。我六点多走出房门的时候，天还没有亮。我拿着从老师那里借来的剑，准备去广场锻炼身体。留学生宿舍楼还是一片漆黑，而中国学生宿舍的窗户里已经亮起了灯光。我走在路上，不时见几个跑步的学生从我身边闪过，鼻子也闻到了从学生食堂飘过来的一阵饭香。一位我认识的服务员迎面走来，向我打了个招呼："练剑去？"我微笑着点了点头。

到了广场，几位练剑的老人已经来了，正在那里做准备活动呢。他们一见到我，就热情地向我问候："早上好！""怎么样？冷不冷？"我回答说："很冷。"我这时候才发现手套忘带了，于是赶快活动起来。

练了一阵剑，天才慢慢亮了。太阳从东方升起来了。我看了看四周，锻炼的人越来越多，有老人、孩子，更多的是年轻人。看他们互相之间的亲热劲儿，觉得他们像一家人似的。

"你练得很好！"一位老人对我伸出了大拇指。

"我在国内的时候学过一点儿。"

"老师是哪儿的人哪？"

"日本人，不过他也是在中国学的。"

老人高兴地笑了。

身体暖和了，我收起剑准备离去。

"明天见！明天见！"不论认识不认识的，都向我打招呼。我觉得心里也暖呼呼的。

我爱你，北京的早晨。

（根据日本留学生吉成久枝《早晨好！北京》一文改写）

第三课 附近哪儿有修车的？

※※※

热身话题：

1．你现在有自行车吗？如果没有，想不想买一辆？为什么？
2．你和修车师傅交谈过吗？你了解修车人的生活吗？
3．你能说出五个自行车部件的名称吗？

※※※

大卫骑车上街，车带瘪了，他推着车向过路人打听……

大　卫：劳驾，附近哪儿有修车的？
过路人：南边那条街上有个修车铺。
大　卫：远吗？
过路人：没多远，到前边丁字路口往右拐，走不了几步就到了。
大　卫：多谢了。
（在修车铺）
大　卫：师傅，您给看看这车。
师　傅：哪儿出毛病了？
大　卫：车带没气了。
师　傅：（边检查边说）气门心没问题，多半儿是里带出了毛病，别是扎了吧，打开瞧瞧？
大　卫：行啊，您看着修吧。
师　傅：瞧见没有？里带破了，得补。（又上下看了看里带）我说小伙子，你这带子可有年头了，该换条新的了。你看，都补了好几块了。
大　卫：不能补了吗？
师　傅：凑合补上也可以，可骑不了几天，你还得修。
大　卫：那就换一条里带吧。
（大卫一边看着师傅修车，一边和他聊天。）
大　卫：师傅，您干这活儿时间不短了吧？
师　傅：有三四十年了。打年轻时就跟着师傅干，后来岁数大了，自己开了个车铺。
大　卫：我看您这儿车不少，都是要修的吗？
师　傅：可不是嘛！一天到晚，没有闲的时候。
大　卫：就您一个人干吗？
师　傅：一个人哪干得过来呀？我的俩徒弟，大中午的，我让他们先回家吃饭去了。
大　卫：您这么大岁数了，干这种活儿可真不容易呀！
师　傅：谁说不是呢！不管白天晚上，晴天雨天，春夏秋冬，都得这么干，有时半夜还有敲门的呢。你说不给他修吧，他车坏在半道儿上了，回不了家。得，起来给人家修吧，就算做件好事，帮个忙。
大　卫：干您这行的，日子过得还可以吧？
师　傅：那得看怎么说。要说过日子嘛，当然是够了。可干这种活儿，也别想当大款。咱们这么说吧，凡是来修车的，有几个是有钱的？大家挣钱都不容易。再说，来修车的大多是左右邻居，虽说修车的价钱由我定，可抬头不见低头见的，谁好意思多收人家的钱？所以说，忙活一天，也挣不了多少钱，够花就行了。

大　卫：现在好多家庭都买汽车了，来修车的人该少些了吧？

师　傅：少倒是不见少。虽说汽车市场挺火，可是买辆车至少得几万，有多少人买得起？再说，现在这马路上车多得要命，动不动就堵车，论方便还得说是自行车。不过现在的人对车可不像过去那么珍惜。过去一辆车一家几代骑，车子有什么毛病都得找修车铺。现在有的人观念变了，有小毛病才来找你，要说让他大修，他宁可把车扔进垃圾堆，再多花俩钱买辆新的。买辆新车才多少钱哪？所以现在大修的活儿少了，一般都是补个带啦、换个小零件什么的，这活儿有什么难的？是个人就会干！你没看马路边那些摆摊儿修车的吗？弄盆水，摆几件工具就干上了。那些人，真懂修车的不多，有的就能补补带，一让他换前后轴就拿不起来了。

大　卫：现在人们对修车这个行业怎么看呢？

师　傅：这怎么说呢？人家有本事的看不起这又脏又累的活儿，没本事的又干不了，可这一行谁都离不开。咱这城市一千多万人口，谁家没几辆自行车呀？

大　卫：是这样，在这么一个大城市里，缺了哪一行也不能缺了修车的。

师　傅：你这话我爱听。别看你是个外国人，说话还挺在理。得，你这车好了，骑上试试吧。

大　卫：谢谢您了。

词　语

1. （车）带		(chē)dài	tire
2. 瘪	（形）	biě	flat
3. 铺	（名）	pù	store
4. 丁字路口		dīngzì lùkǒu	T-shaped road junction
5. 气门心	（名）	qìménxīnr	part of the inside valve
6. 多半儿	（副）	duōbànr	probably
7. 扎	（动）	zhā	to prick
8. 补	（动）	bǔ	to mend
9. 打	（介）	dǎ	from
10. 开	（动）	kāi	to set up；to run
11. 徒弟	（名）	túdi	apprentice
12. 行	（名）	háng	trade
13. 凡是	（连）	fánshì	every；any；all

14. 挣（钱）	（动）	zhèng(qián)	to earn or to make money
15. 虽说	（连）	suīshuō	though
16. 忙活	（动）	mánghuo	to be busy doing sth.
17. 动不动		dòng budòng	easily
18. 堵（车）	（动）	dǔ(chē)	to block up
19. 论	（介）	lùn	to talk about
20. 珍惜	（动）	zhēnxī	to value; to cherish
21. 宁可	（连）	nìngkě	would rather
22. 垃圾堆	（名）	lājīduī	rubbish heap
23. 零件	（名）	língjiàn	spare parts
24. 摆	（动）	bǎi	to put
25. 盆	（名）	pén	basin
26. 轴	（名）	zhóu	axle
27. 本事	（名）	běnshi	ability
28. 在理		zàilǐ	reasonable; right

注　　释

1. **大款**(kuǎn)　指收入极高或非常有钱的人。
2. **抬头不见低头见**　意思是大家常见面，不要为小事伤了和气。这是中国传统的处世原则。
3. **火**　热闹、红火，这里指买卖兴隆。

练　　习

（一）

一、用正确的语调读下面的句子，并解释这些句子的意思：

1. 走不了几步就到了。
2. 您看着修吧。
3. 我说小伙子，你这带子可有年头了。
4. 谁说不是呢！
5. 凡是来修车的，有几个是有钱的？
6. 买辆新车才多少钱哪？
7. 这活儿有什么难的？是个人就会干！
8. 谁家没几辆自行车呀？

二、根据课文，用上所给的词语回答下面的问题：

1. 大卫的自行车出了什么毛病？修车师傅是怎么为他修的？

（车带　瘪　气门心　扎　补　里带　凑合　换）

2. 谈谈修车师傅的过去与现在；

（年轻　开　车铺　闲　徒弟　一天到晚）

3. 修车师傅的日子过得怎么样？

（凡是　价钱　挣钱　好意思　忙活　抬头不见低头见）

4. 现在人民生活水平提高了，对修车行业有没有影响？

（汽车　至少　买得起　方便　珍惜　观念　宁可）

5. 人们对修车这个行业怎么看？

（有本事　看不起　又……又……　没本事　离不开）

三、请你说说：

1. 请说出和修车有关的词语。
2. 为什么说“在中国的大城市里，缺了哪一行也不能缺了修车的”？
3. 谈谈从事修车等服务行业的人在社会上的地位。
4. 在交通拥挤的现代化大城市里，有没有必要限制家庭汽车的发展？

（二）

四、替换划线部分的词语，然后各说一句完整的话或用于对话中：

1. 别是扎了吧

　　坏

　　弄错

　　丢在车上

2. 您看着修吧。

　　给

　　买

　　安

3. 有三四十年了

　　七八天

　　五六岁

　　十来次

4. 动不动就堵车

　　发脾气

　　考试

感冒

5. 论方便还得说是自行车

好吃　　　　饺子

舒服　　　　出租车

真心爱你的　　父母

五、用指定的词语完成下面的对话，然后用它做模仿会话练习：

1. 甲：时间已经到了，小王怎么还没来？
   乙：______________。（多半儿）
2. 甲：你最近能见到小张吗？
   乙：______________。（一天到晚）
3. 甲：小白的女朋友好久没来了，是不是要吹呀？
   乙：______________。（你说……吧，可……）
4. 甲：有些作父母的为了孩子，什么苦都能吃。
   乙：是啊，______________。（宁可）
5. 甲：你能不能给我们介绍介绍考试的经验？
   乙：______________。（要说……嘛，……）
6. 甲：入系考试是不是特别难？
   乙：______________。（虽说……，可……）

六、读下面的句子，体会“拿不起来”在句中的意思和用法，并模仿说话：

1. 小王来这儿一年多了，你说他会干什么？哪样也拿不起来。
2. 他只会说，一让他干他就拿不起来了。

七、阅读下面的小对话，然后以《骑车的好处》为题，把对话继续下去：

甲：现在，学开车的人越来越多，你没去学学？

乙：我不赶那个时髦。再说，开车哪儿有骑自行车方便呢！

甲：开车快呀，从这儿到动物园，骑车要一个小时，开车去十几分钟就到了。

乙：那要是赶上堵车呢？一个半小时也到不了。

甲：倒也是。可要是不堵车，开车还是比骑车方便。

乙：那不一定。比如说，赶上下坡路，骑车就比开车省劲儿。你有车，敢开那么快吗？

甲：可要是赶上上坡路呢？

乙：上坡嘛……省油哇！

……

八、成段表达：

1. 谈谈自行车在你们国家的利用和发展。
2. 谈谈你了解的社会现代化对某些传统手工行业的影响。

补充词语

1.	从事	（动）	cóngshì	to go in for; to be engaged in
2.	拥挤	（形）	yōngjǐ	crowd
3.	安	（动）	ān	to fix; to fit
4.	及格		jí gé	to pass a test, ect.
5.	发脾气		fā píqi	to lose one's temper
6.	吹	（动）	chuī	to break with boy or girl friend
7.	吃苦		chī kǔ	bear hardships
8.	坡	（名）	pō	slope
9.	省劲儿		shěng jìnr	save labour; easy
10.	手工	（名）	shǒugōng	handiwork

第四课　他们的夜生活多丰富哇

※※

热身话题：

1. 你每天怎样安排你的夜生活？在国内的时候呢？
2. 在你们国家有没有夜校？人们去夜校学习什么？

※※

大卫在一所夜校教英语。这天，他不舒服，请玛丽代课。课间的时候，玛丽和夜校的学生聊起天儿来……

玛　丽：除了到这儿来上课，你们平时晚上都干些什么呢？

学生甲：怎么说呢？反正一个人一个样，每个人有每个人的活法。我们这些人，工作不一样，岁数不一样，兴趣爱好自然也不一样。就拿我来说吧，我这个人好静不好动，什么歌厅、舞厅、台球厅从来不去。我没孩子，爱人出国进修去了，现在就我一个人在家，没事的时候，就喜欢看书，中文的、外文的，什么书都看，一看就是几个小时。我不太爱交际，书就是我生活中的朋友。

学生乙：我跟她可完全不一样，就像俗话里说的："萝卜青菜，各有所爱。"我在一家中外合资的公司上班，平时工作很累，精神上也很紧张。要知道，在这样的公司工作，不能出一点差错，否则会被"炒鱿鱼"的。我到这儿来学英语，也是为了提高我的英语水平，把工作做得更好。所以，每天下班以后，要是没什么事，我就想找个地方轻松轻松，或者发泄一下儿。我最喜欢到"迪厅"去"蹦迪"，在那儿可以忘掉所有的烦恼，甚至忘了自己，好像换了个人似的，回家以后睡觉特别香，第二天上班精神也好。不过，我妻子不愿意我到那样的地方去，非说那儿不是正经人去的地方，跟我吵了好几次了。

学生丙：说句心里话，我真羡慕现在的年轻人，他们的夜生活多丰富哇。我们年轻那会儿，哪知道什么叫"夜生活"呀！一说起"夜生活"，就和赌场、妓院联系在一起，那时候，和男朋友出去约会都得偷偷地，跑得远远的，就像去做什么见不得人的事，现在玩儿的机会多了，可又没时间了！白天上班，晚上忙家务、照顾孩子，每周到这儿来学习两个晚上，也是挤出的时间，周末能抽空儿看场电影就很不错了。人们常说我们是"被耽误的一代"，连夜生活也给"耽误"了。

玛　丽：夜生活也不一定非要去外面的娱乐场所，比如说，几个朋友在家里聚聚，聊聊天儿……

学生丁：（笑）要是几个朋友聚到一起，不用说，十有八九得支桌……

玛　丽：支桌？

学生丁：支起桌子打麻将啊！周末的晚上，您到居民区去转转，没准儿就能听到哗啦哗啦洗牌的声音，那就是打麻将呢！打麻将容易上瘾，一打起来就得到天亮。老师，您会打麻将吗？

玛　丽：常听人说打麻将，我还真想学学，难学吗？

学生丁：那要看您怎么玩儿。有简单的玩儿法，一学就会，有些人玩儿赢钱的，就这么玩儿；也有复杂的玩儿法，要动脑子，要计算，就像打桥牌一样，那可不是一天半天能学会的。

玛　丽：有空儿你们教教我，行吗？我想我的脑子还不算笨，大概能学会。不管怎么说，这也是东方文化的一部分，是吧？

学生丁：可以这么说吧。很多中国人晚上不习惯出去，他们的夜生活大多在家里。看电视啦，看录像啦，打扑克啦，下围棋、象棋啦……也有些人吃完晚饭什么也不做，全家人围坐在一起，一边喝茶，一边聊天儿。

玛　丽：像你们这样利用晚上的时间出来学习的多吗？

学生甲：我觉得比前几年少一些了。前几年有过一阵"文凭热"，当官要文凭，当普通工人也要文凭，所以上夜校的特别多。现在想学的已经学完了，没学的也不想学了。晚上出来学习的主要是学外语的了。当然，也有学实用技术的，像烹调、服装裁剪、汽车或者家电修理、美容……总而言之，学什么的都有。

玛　丽：（看了看表）哎哟，对不起，已经过了上课时间了，咱们上课吧。

词　语

1.	夜校	（名）	yèxiào	evening school
2.	代课		dài kè	to take over a class for an absent teacher; substitute
3.	好	（动）	hào	to like; to be fond of
4.	台球	（名）	táiqiú	billiards; pool
5.	交际	（动、名）	jiāojì	to have social interaction; social intercourse; communication
6.	合资		hézī	to cooperate
7.	上班		shàng bān	to go to work
8.	差错	（名）	chācuò	mistake
9.	否则	（连）	fǒuzé	otherwise
10.	发泄	（动）	fāxiè	to vent
11.	烦恼	（名、形）	fánnǎo	worry
12.	蹦	（动）	bèng	to leap
13.	正经	（形）	zhèngjing	decent
14.	吵	（动）	chǎo	to quarrel
15.	赌场	（名）	dǔchǎng	gambling den; casino
16.	妓院	（名）	jìyuàn	brothel; whorehouse
17.	抽空儿		chōu kòngr	to manage to find time

18.	场所	（名）	chǎngsuǒ	place (for certain activities)
19.	支	（动）	zhī	to put up
20.	麻将	（名）	májiàng	*majiang*
21.	上瘾		shàng yǐn	to be or get into habit (of doing sth.)
22.	赢（钱）	（动）	yíng(qián)	to gain；to win
23.	桥牌	（名）	qiáopái	bridge (a card game)
24.	扑克	（名）	pūkè	poker
25.	围棋	（名）	wéiqí	*weiqi*
26.	象棋	（名）	xiàngqí	chess
27.	文凭	（名）	wénpíng	diploma
28.	烹调	（动）	pēngtiáo	cooking
29.	裁剪	（动）	cáijiǎn	skill of cutting out garments
30.	总而言之		zǒng'éryánzhī	in a word

注　　释

1. **萝卜(luóbo)青菜，各有所爱**　指人的爱好各有不同。
2. **炒鱿（yóu）鱼**　比喻解雇。
3. **迪厅**　“迪斯科舞厅”的缩语。
4. **蹦迪**　跳迪斯科。
5. **被耽误的一代**　六十年代后期，中国发生了文化大革命，许多学校停课，影响了一代年轻人的文化学习。这一代年轻人被称做“被耽误的一代”。
6. **十有八九**　表示极有可能。

练　　习

（一）

一、用正确的语调读下面的句子，并说说自己对这些话的理解或感受：

1. 反正一个人一个样，每个人有每个人的活法。
2. 我不太爱交际，书就是我生活中的朋友。
3. 萝卜青菜，各有所爱。
4. 每天下班以后，要是没什么事，我就想找个地方轻松轻松，或者发泄一下儿。
5. 在那儿可以忘掉所有的烦恼，甚至忘了自己，好像换了个人似的。
6. 那时候，和男朋友出去约会都得偷偷地，跑得远远的，就像去做什么见不得人的事。

二、根据课文，用上所给的词语回答下面的问题：

1. 介绍几位夜校学生的夜生活；
   学生甲（从来　看书　交际　朋友）
   学生乙（公司　紧张　轻松　发泄　烦恼）
   学生丙（时间　家务　挤　抽空儿）
2. 说说一般中国人的夜生活；
   （麻将　电视　下棋　聊天儿　夜校……）
3. 说说有关夜校的一些情况。
   （文凭　外语　实用技术）

三、大家谈：

1. 年轻人常去交际场所的利弊 。
2. 为什么有人把“迪厅”等娱乐场所看成“不是正经人去的地方”？
3. 什么人晚上去娱乐场所会遭到家里人的阻止和反对？
4. 为了将来的工作或生活，年轻人有必要掌握哪些实用技术？
5. 老年人与年轻人对夜生活的看法有什么不同？

四、请说出一些棋类运动的名称，并说出几个和棋类运动有关的词语。

（二）

五、用指定的词语完成下面的对话，然后用它做模仿会话练习：

1. 甲：这次考试真的那么重要吗？
   乙：当然，你必须考好，____________________。（否则）
2. 甲：你什么时候去看他呀？
   乙：____________________。（抽空儿）
3. 甲：马路上怎么围了那么多人哪？
   乙：____________________。（不用说）
4. 甲：她和男朋友的关系越来越不好。
   乙：我看哪，____________________。（十有八九）
5. 甲：中国的工艺品贵不贵？
   乙：____________________。（那要看您（你）……）
6. 甲：学校对学生的管理规定可真多呀！
   乙：是啊，____________________。（总而言之）

六、你赞同以下论点吗？请就这些论点进行评述：

1. 应该多建立一些夜生活场所，满足年轻人的需要。
2. 紧张工作一天之后，找个娱乐场所轻松一下是必要的。
3. 麻将是一种赌博用具，应该禁止打麻将。
4. 不掌握一门以上的实用技术，就没有办法在现代社会生存。

七、社会调查：

了解你居住的城市有哪些夜间娱乐场所以及在那里的消费水准，并了解去那里的人们的消费心态，回来在班里汇报。

补充词语

1. 阻止	（动）	zǔzhǐ	to prevent；to stop
2. 消费	（动）	xiāofèi	to consume
3. 建立	（动）	jiànlì	to build
4. 满足	（动）	mǎnzú	to feel content
5. 赌博	（动）	dǔbó	gambling
6. 生存	（动）	shēngcún	to live
7. 居住	（动）	jūzhù	to live；to reside
8. 水准	（名）	shuǐzhǔn	standard；level
9. 心态	（名）	xīntài	attitude

第五课　今天我请客

※※※※※※※※※※※※※※※※※※※※※※※※※※※※※※※※※※※※※※

热身话题：

1. 你常和朋友出去吃饭吗？一般怎么付钱？
2. 介绍学校周围饭馆的名字及饭菜特色。

※※※※※※※※※※※※※※※※※※※※※※※※※※※※※※※※※※※※※※

王峰帮玛丽修改她写的一篇文章，不知不觉过了食堂开饭的时间……

玛　丽：糟糕，都六点半了！真对不起，王峰，耽误你吃饭了。
王　峰：嗨！朋友之间别那么客气。
玛　丽：这样吧，今天我请客，咱们到外边找个地方随便吃点儿。
王　峰：那像什么话！哪有小伙子让姑娘请客的？还是我请你吧。
玛　丽：哎，这请客可是我先提出来的，今天不管怎么说得我请。
王　峰：我看这样吧，像你和你的朋友那样，咱们也来个 AA 制，一起吃饭，饭钱分摊，你看好吗？
玛　丽：这样也好。哎，我最近发现学校西边有一个新开的饭馆，菜的味道相当不错。
王　峰：那咱们就去那儿吧。
（两人走进了那家饭馆）
王　峰：嗬，人可真不少哇！
玛　丽：听说这儿的人总是这么多，有时候连座位都找不着。这家饭馆的生意可红火了。
服务员：欢迎光临，您几位？
王　峰：两位。
服务员：这边请。
（王峰和玛丽刚要坐下，忽然听到身后有人叫王峰的名字。）
王　峰：（回头看）张明，是你呀，咱们可好久没见了。
张　明：是啊，大学毕业以后就没见过面。怎么，你也在这儿吃饭？这位是……
王　峰：她是美国留学生玛丽；（对玛丽）玛丽，这是我大学时的同学张明。
玛　丽：你好！
张　明：你好！我现在在一家计算机公司工作，这是我的名片。
玛　丽：（接过名片看，脸上露出惊奇的神色）你是总经理？
王　峰：（笑）这没有什么奇怪的。中国现在公司多，总经理也就特别多。你没听人说吗？天上掉下一块石头，砸倒了三个人，其中有两个就是总经理，还有一个是……
玛　丽：是什么？
王　峰：是副总经理。
张　明：别在这儿挖苦我了。哎，你们是刚来吧？来来来，到这边坐，我已经点菜了，再加几个菜，咱们一块儿吃。（对服务员）小姐，给添两套碗筷，再拿两个杯子来。
王　峰：（对玛丽）他还是和过去一样的急脾气，看来咱们“恭敬不如从命”，就一块儿吃吧。

（玛丽和王峰入座）

玛　丽：（对张明）你那么年轻就当上总经理了，真不简单！

张　明：嗨！我们那是个小公司，不值得一提。大学毕业的时候，学校把我分到机关工作，在那儿整天没事可干，也挣不了几个钱。我当时一咬牙，就和几个朋友一起"下海"了。

玛　丽：下海？

王　峰：就是扔掉"铁饭碗"去经商，在"商海"中游泳。（对张明）哎，丢掉你学的专业，你不后悔吗？

张　明：这看怎么说。有时我也真想回来搞自己的专业。不过，"下海"对一个人的工作能力是一种很好的锻炼。从这一点上说，我感觉收获还真不小呢。

玛　丽：我很佩服你的勇气。

（三人边吃边聊，桌子上的菜已经吃得差不多了。）

张　明：（对玛丽）你觉得这儿的菜怎么样？

玛　丽：真好吃。今天吃得太饱了，都吃撑了。哎，还剩这么多菜怎么办哪？

张　明：那没关系，一会儿咱们可以打包带走。

玛　丽：这样好。咱们今天点的菜太多了，要是都剩在这儿，多浪费呀！

张　明：在饭馆吃饭当然要多点几个菜，不然显得多小气呀。

（远处传来争吵声）

玛　丽：那边怎么了？

张　明：（不以为然地一笑）噢，那些人是结帐时争着付钱呢。

玛　丽：付钱怎么跟打架似的？

王　峰：这也是中国人的一个习惯。几个朋友一起来吃饭，事先没说好谁请客，吃完就争着付钱，谁也不愿意白吃一顿。要是这次别人付了钱，就老觉得欠别人点什么。

玛　丽：我看还是 AA 制好。张明，你说呢？

张　明：好是好，不过今天我们是头一次见面，这个客还是由我来请。

王　峰：那哪行啊？

张　明：别争了，咱俩谁跟谁呀！（服务员走了过来，把一些零钱交给张明）你看，争也没用，钱我已经付了。

王　峰：哎，你这家伙，手还真快，什么时候交的钱？

张　明：这你就别管了。哎，你别不高兴。这么着吧，这次算我的，下次一块儿吃饭的时候，你请我，再加上这位小姐，行了吧？你要是不放心，咱们现在就把时间地点定了：下周六晚上，香格里拉，怎么样？

王　峰：怎么着？想"宰"我？

玛　丽：你们都请了，那我呢？
张　明：（对王峰）看见没有？这儿还有愿意挨“宰”的呢。

词　语

1.	不知不觉		bùzhī bùjué	unconsciously；unaware
2.	像话		xiàng huà	reasonable；proper
3.	分摊		fēntān	to split the bill
4.	既然	（连）	jìrán	now that
5.	嗬	（叹）	hē	(indicating astonishment)
6.	生意	（名）	shēngyi	business
7.	红火	（形）	hónghuo	flourishing；prosperous
8.	光临	（动）	guānglín	presence (of a guest，etc.)
9.	名片	（名）	míngpiàn	business card
10.	露	（动）	lòu	to show
11.	惊奇	（形）	jīngqí	surprise
12.	神色	（名）	shénsè	expression；look
13.	总经理		zǒngjīnglǐ	general manager
14.	砸	（动）	zá	to pound
15.	副	（形）	fù	vice
16.	挖苦	（动）	wāku	to speak sarcastically or ironically
17.	碗筷		wǎn kuài	bowls and chopsticks
18.	脾气	（名）	píqi	character；personality；(bad) temper
19.	入座		rù zuò	to take one's seat (at a banquet，ceremony，etc.)
20.	咬牙		yǎo yá	to grit one's teeth (enduring)
21.	经商		jīng shāng	to run business
22.	后悔	（动）	hòuhuǐ	to regret
23.	佩服	（动）	pèifú	to admire
24.	撑	（动）	chēng	stuffed；overfill
25.	打包		dǎ bāo	doggy bag
26.	显得	（动）	xiǎnde	look；seem
27.	小气	（形）	xiǎoqi	stingy
28.	争吵	（动）	zhēngchǎo	to quarrel
29.	不以为然		bùyǐwéirán	be used to sth.
30.	争	（动）	zhēng	to dispute
31.	结帐		jié zhàng	to pay the check
32.	打架		dǎ jià	to fight

33. 欠 （动） qiàn to owe
34. 宰 （动） zǎi to rip off；to cheat
35. 挨 （动） ái to get；to suffer

注　　释

1. **恭（gōng）敬不如从命**　对对方的邀请与其过于客气不如听从对方的安排。
2. **下海**　泛指放弃原来的工作而投身商业。
3. **铁饭碗**　比喻非常稳固的职位。
4. **咱俩谁跟谁呀**　意思是"咱俩是好朋友，不分彼此"。
5. **香格里拉**　著名饭店的名字。

练　　习

（一）

一、用正确的语调读下面的句子，并解释这些句子的意思：

1. 那像什么话！哪有小伙子让姑娘请客的？
2. 咱们可有日子没见了。
3. 看来咱们"恭敬不如从命"，就一块儿吃吧。
4. 我当时一咬牙，就和几个朋友一起"下海"了。
5. 别争了，咱俩谁跟谁呀！
6. 你这家伙，手还真快，什么时候交的钱？
7. 怎么着？想"宰"我？
8. 看见没有？这儿还有愿意挨"宰"的呢。

二、根据课文回答下面的问题：

1. 王峰为什么不同意让玛丽请客？
2. 张明为什么辞去公职"下海"经商？
3. 一些中国人饭后付钱为什么像打架一样？
4. 什么是AA制？AA制的好处是什么？
5. 张明为什么说"这个客由我来请"？

三、讨论：

1. 和朋友一起出去吃饭，结帐的最好方法是什么？说说理由。
2. 当一起吃饭的朋友要为你付钱的时候，你怎么办？

3. 男女朋友一起吃饭，该不该由男子付钱？
4. 如果有人请你吃了饭，你有没有回请他的打算？
5. 为什么在中国辞去公职去经商被说成是有勇气的表现？

（二）

四、完成下面的对话，然后用带点儿的词语做模仿会话练习：

1. 甲：你要是喜欢就拿去吧，我再去买一个。
   乙：那像什么话！＿＿＿＿＿＿＿＿＿＿。
2. 甲：罚他这么多钱不合适吧？
   乙：这没有什么＿＿＿＿的，＿＿＿＿＿＿。
3. 甲：重阳节为什么一定要爬山呢？
   乙：你没听人说吗？＿＿＿＿＿＿＿＿＿＿。
4. 甲：你真的不喜欢她吗？
   乙：这看怎么说。＿＿＿＿＿＿＿＿＿＿。
5. 甲：中国人均收入虽然不高，可是人们的生活比过去有很大的改善。
   乙：从这一点上说，＿＿＿＿＿＿＿＿＿＿。
6. 甲：你帮我那么大的忙，我真该好好谢谢你。
   乙：＿＿＿＿＿＿＿＿＿＿，咱俩谁跟谁呀！
7. 甲：这两件衣服我都挺喜欢的，你说我该买哪件？
   乙：这么着吧，＿＿＿＿＿＿＿＿＿＿。

五、回答下列问题，用上下面句子中划线部分的词语：

1. 生活中发生的哪件事你觉得不像话？
2. 在中国，什么事情最使你感到惊奇？
3. 谈一件你后悔自己干过的事。
4. 介绍一位你最佩服的人。

六、下面的漫画说明了什么社会现象？

1.

2.

3.

补充词语

1. 辞（职）	（动）	cí(zhí)	to resign
2. 公职	（名）	gōngzhí	public office; public employment
3. 理由	（名）	lǐyóu	reason
4. 回请	（动）	huíqǐng	to give a return banquet
5. 总统	（名）	zǒngtǒng	president
6. 人均	（形）	rénjūn	per capita
7. 改善	（名、动）	gǎishàn	improvement; to improve

补充材料

副总经理（笑话）

一位公司职员回到家里，得意地对妻子说："你知道吗？因为我工作得出色，已经被公司提拔为副总经理了。"妻子听了，不以为然地笑了笑说："真是不错，不过我听说现在副总经理多得满地都是。你知道吗？咱们经常去买东西的那家大商场，因为副总经理太多，只好让一位专管发放购物袋。"

公司职员气得跳了起来："不可能！我要马上打电话给那家商场，让他们证明你是在说谎。"他拨通电话："我找专管发放购物袋的副总经理。"话音刚落，就听电话里传出一句很有礼貌的声音："请问，是管纸袋的那位还是管塑料袋的那位？"

口语知识（一）

1. 口语中的轻声现象

学过一段时间汉语的人都有这样的体会：汉语普通话里的每一个音节，在单独念的时候都有一定的声调，但是有的音节在词或句子里被读出时，却往往失去原来的声调，变成一种短而轻的调子，这就是我们常说的轻声现象。例如“头”这个字，在单独念或者组成“头发”、“头顶”、“带头”、“回头”等词语时，读阳平（二声）；但是在“木头”、“跟头”、“馒头”等词语中，“头”字的发音就比原来轻得多，短得多，这个“头”的发音就是轻声。轻声现象一般出现在词语或句子中，是我们在学习汉语口语时重点应该解决的问题。

那么，轻声在读音上有哪些规律呢？它对词汇和语法会产生哪些作用呢？我们从几个方面总结一下：

（1）轻声音节的发音规律

外国人学习汉语，声调是一个难关。轻声音节的音高不是固定不变的，它常常受前一个音节声调的影响而改变，这就加大了掌握轻声音节发音的难度。一般来说，轻声音节在上声（三声）字后面音最高，如：“晚上”、“你们”、“买的”、“里头”、“姐姐”；在阴平（一声）、阳平（二声）字后面读中调，如：“箱子”、“听着”、“哥哥”、“石头”、“拿来”、“便宜”、“红的”；在去声（四声）字后面音最低，如：“月亮”、“柿子”、“看看”、“地上”、“去吧”等等。

轻声还会使音节的声母或韵母的发音发生变化，甚至使一些音节失去韵母，如：“豆腐”，由［toufu］读成［touf］；“我们”，由［uomən］读成［uom］。

（2）轻声音节的变读规律

我们在说话的时候，究竟哪些音节该读轻声呢？一般来说，书面语特别是科学术语，很少有读轻声的。轻声大多出现在日常口语中。下面一些成分，在汉语普通话里都读成轻声：

①“吧、吗、呢、啊”等语气词。例如：

快去吧！

你是北京人吗？

我还没复习好呢！
这儿的风景真漂亮啊！
②"的、地、得"等结构助词。例如：
这是我的。
他飞快地跑了。
她们激动得不知说什么好。
③"了、着、过"等时态助词。例如：
孩子上学了。
他家锁着门呢。
我没有看过那个电影。
④"子、头、们"等名词或代词的后缀词。例如：
桌子、儿子、兔子、日子
罐头、舌头、骨头、上头
咱们、人们、孩子们
⑤量词"个"。例如：
买个电视吧。
我们的人去了三个。
在那儿玩儿了个痛快。
⑥某些方位词或方位词素。例如：
家里、地下、桌子上、前边、里头
⑦用在动词后面的趋向补语。例如：
我回来了。
你上去看看。
请你站起来。
他刚从外面走进来。
⑧重叠动词的后一个音节以及夹在重叠动词中间的"一"或"不"。例如：
让我听听。
我来试试。
你好好想一想。
我说得对不对？
⑨作宾语的人称代词。例如：
您找我？
请你来给我们讲讲。
叫他别喊了。

此外，一些口语中常用的双音词的第二个音节也常读成轻声。例如：

爷爷　娃娃　星星　宝宝
大夫　葡萄　玻璃　味道
告诉　打听　商量　客气
明白　凉快　老实　清楚
多么　怎么　什么

另外，一些词语尽管在词典中标了声调，但在口语中人们也习惯读成轻声，这就需要多听、多学、多练，培养自己的语感了。

(3) 轻声与非轻声词语的不同

汉语普通话里，有些词语有轻声和非轻声两种读法，它们在意义和词性上也有所不同。请看下面A、B两组句子中划线词语的对比：

①A：这所房子里有个地道。(dìdào 地下坑道；名词)
　B：这是地道的茅台酒。(dìdao 真正的；形容词)
②A：买一盒茉莉大方吧。(dàfāng 茶叶名；名词)
　B：孩子在客人面前挺大方的。(dàfang 不拘束；形容词)
③A：敌人的军队反正了。(fǎnzhèng 敌方军队投到己方；动词)
　B：谁爱去谁去，反正我不去。(fǎnzheng 不管怎么样；副词)
④A：别有精神上的压力。(jīngshén 指人的心理状态，名词)
　B：小伙子长得挺精神的。(jīngshen 有活力，漂亮；形容词)
⑤A：这个村子有十几户人家。(rénjiā 住户；名词)
　B：人家都不怕，你怕什么？(rénjia 别人；代词)
⑥A：请总结这篇文章的段落大意。(dàyì 主要的意思；名词)
　B：千万不要大意。(dàyi 疏忽，不注意；形容词)

2. 儿化在口语中的音变规律

提起儿化，一些外国学生以为那是北京人说话时特别的语音现象。这里面有两方面的误解：其一，不仅是北京话里有儿化现象；其二，儿化不只是一种单纯的语音现象，它在汉语语言中还有着修辞或表示一定的语法功能的作用。

怎样理解汉语语言中的儿化现象呢？

汉语普通话里，“儿(er)”常用做词尾。它可以附在其它音节之后，与前一个音节的韵母结合起来，构成一种卷舌韵母，我们把它叫做“儿化韵”。儿化韵里的“儿”已经不是一个单独的音节，它与前面的音节融合为一个音节，只是在发音的时候保留了因卷舌动作而产生的短而弱的卷舌音(-r)。

汉语普通话的韵母除了 ê、er 以外都可以儿化。韵母儿化是有一定规律的。主要分以下几类：

(1) 韵腹或韵尾是 a、o、e、u 的音节儿化时原韵母不变，直接加卷舌动作。如：

哪儿（nǎr） 一下儿（yíxiàr） 花儿（huār） 坡儿（pōr）

大伙儿（dàhuǒr） 小猫儿（xiǎomāor） 鸟儿（niǎor）

歌儿（gēr） 土豆儿（tǔdòur） 妞儿（niūr） 汗珠儿（hànzhūr）

(2) 韵母是 i、ü 的音节儿化时在原来的韵母之后加上 [ər] 音。如：

小鸡儿（xiǎojīr） 书皮儿（shūpír） 小曲儿（xiǎoqǔr）

(3) 韵尾是-i 或-n 的音节儿化时，原韵母中的韵尾失落，在主要元音上加卷舌动作。如：

小孩儿（xiǎoháir [xai→xar]） 香味儿（xiāngwèir [uei→uər]）

脸蛋儿（liǎndànr [tan→tar]） 树根儿（shùgēnr [kən→kər]）

(4) 以-ng 为韵尾的韵母，儿化后-ng 韵尾同前面的主要元音合成鼻化元音，同时加上卷舌动作。如：

胡同儿（hútongr [tʻuŋ→tʻũr]） 瓶儿（píngr [pʻiŋ→pʻiər]）

蛋黄儿（dànhuángr [xuaŋ→xuar]）

(5) 韵母是-i [ɿ] [ʅ] 的音节儿化时失去原韵母，换成 [ər]。如：

棋子儿（qízǐr [tsɿ→tsər]） 树枝儿（shùzhīr [tʂʅ→tʂər]）

掌握汉语中的儿化现象，不仅仅是学会它的发音，还要注意儿化在其它方面的作用。让我们从以下几个方面看：

(1) 有些词的儿化与非儿化有区别词义的作用。请注意下列 A、B 两组句子中带点儿词语的区别：

①A：他写了一封信。

B：你给她带个信儿。（信息、消息）

②A：我刚刚洗了头。

B：张科长是我们的头儿。（领导）

③A：泪水模糊了小王的双眼。

B：桌子上怎么有那么多的眼儿？（小窟隆、洞）

④A：我忘了和客人握手。

B：我给你们露两手儿。（技能、本领）

(2) 有些词的儿化与非儿化有区别词性的作用。请注意下列 A、B 两组句子中带点儿词语的对比：

①A：她买的鱼是活的。（形容词）

B：这活儿是谁干的？（名词）

②A：这都是你画的？（动词）

B：把这张画儿送给我吧。（名词）

③A：这些破烂东西趁早扔掉。（形容词）

B：我可不要这些破烂儿。（名词）

④A：这条街真热闹。（形容词）

B：他就喜欢看热闹儿。（名词）

（3）有少量词语的儿化带有感情色彩，用来指较小的或喜欢、感到亲切的事物。试比较下面 A、B 两组句子：

①A：这一带有鲨鱼！

B：我给儿子买了几条小鱼儿。

②A：这孩子，真不听话！

B：这个小孩儿真可爱。

③A：海水冲走了岸边的房屋。

B：我想喝汽水儿。

最后要说明的是，汉语普通话里，有些词语必须要读儿化，像“一会儿”、“冰棍儿”、“馅儿饼”等；有的可读可不读，像“熊猫”、“公园”等；严肃认真或高大雄伟的事物一般不读儿化，像“会议”、“上课”、“天安门”等。

练　　习

一、朗读下面的句子，注意轻声音节的正确读法：

1. 他们买了几个玻璃杯子。
2. 在外面哭的是你的孩子吧？
3. 把你要说的都写在纸上。
4. 你还不过去问问。
5. 你看看地下这些葡萄皮儿，快起来打扫打扫！
6. 你爸爸给你找了个大夫，在屋里等着你呢。

二、下列词语都有轻声和非轻声两种读法，请说出它们在意义或词性上的不同：

大爷　东西　照应　利害　实在　地下　对头

三、找出你身边的可以用轻声词语表示的十种东西。

四、说出下列各组词语在词义或词性上有什么不同：

1. 盖（gài）
   盖儿（gàir）
2. 包（bāo）
   包儿（bāor）
3. 刺（cì）
   刺儿（cìr）
4. 扣（kòu）
   扣儿（kòur）
5. 早点（zǎodiǎn）
   早点儿（zǎodiǎnr）
6. 没劲（méijìn）
   没劲儿（méijìnr）
7. 有门（yǒu mén）
   有门儿（yǒu ménr）

五、说出上述例句和练习之外的十个儿化的词语。

口语常用语（一）

接待用语

如果你工作的公司需要你接待中国的客人，那么你就是一位主人了。有关接待的一些常用语你掌握了没有？如果还没有，或者掌握得不多，那就请你和我们一起来看看下面的内容吧。

（1）约定与见面

当你准备到机场迎接客人到来之前，你可能有两个不放心，一是机场里人太多，你怕到时候找不到他；二是你们第一次见面，你不认识他。这时候，在问清客人到达的确切时间后，打个电话约定一下见面的地点和方式，也许是必要的。下面这些话你都掌握了吗？

①您放心，我会准时去机场接您的。

②我在机场大厅的东侧等您。

③您出站时请注意我手里拿着的牌子，上面写着您的名字。

④万一找不到我，请随时和我联系。我告诉您我的电话号码和呼机号，请您记下来。

接到客人后，你也许要上前进行一些礼节性的寒暄：

①您好，我是公司派来接您的。我叫白山，这是我的名片。

②欢迎您到我们国家来。

③路上辛苦了。

④您在这里的业务活动都由我来安排。

⑤希望我们合作得愉快。

⑥您的行李都到齐了？

⑦请跟我来，我们的车在外面等您呢。

（2）安排与计划

在与客人前往住地的路上，可以将当日的安排告诉客人，使客人心中有数：

“您的住处我们已经为您安排好了。到饭店以后，您先休息一下，中午我们一起吃午饭。下午四点以前没有安排什么活动，如果您愿意，我陪您到市里去观光，看看我们这座城市。五点钟，我们总经理和您见面。晚上，总经理邀请您共进晚餐。您看这样安排行吗？”

你也可以拿出你们的日程表给客人看：

“这是我们的日程表，请您过目。如果您觉得有什么不妥当的地方，请您提出来，我们可以商量。”

如果客人提出一些要求，你可以根据自己的权限范围做出不同的回答：

①这不成问题，我就可以决定了。

②我看可以，回去后我跟他们说一下，一定满足您的要求。

③我们尽量为您安排，如果可以的话，我会及时和您联系的。

④这件事我做不了主，得跟我们总经理商量一下。

⑤这恐怕不行，请您多包涵。

（3）日常接待语言

在与客人交往的这段时间里，有些话是你经常要说的或者有必要掌握的：

①昨天休息得好吗？

②您对我们的安排满意吗？

③这里的饭菜吃得惯吗？

④有什么需要我为您办的吗？

⑤请您早点儿休息吧。

⑥我们安排不周，请原谅。

⑦这是我们应该做的。

⑧到时候我来接您。

⑨我们会为您安排的。

⑩您别客气，有什么要求尽管提。

在宴会上，有些话最好你会说：

①W 先生，我敬您一杯。

②中国有一句话：“酒逢知己千杯少”。

③我替我们总经理跟您干一杯。

④这是我们这里的特产，您可得尝尝。

⑤对不起，我实在不能再喝了。

⑥W 先生，您真是海量。

⑦您今天喝得可不多。

⑧您想不想来一首卡拉 OK？

在陪同客人参观时，你应该学会说下面的话：
①您要在这儿多看一会儿吗？
②我们到那边去看看吧。
③您还想参观什么地方？
④这是我们的最新产品。
⑤这些都是为您准备的说明书。
⑥要不要休息一下？
⑦今天就到这儿吧，我们该回去了。
⑧您对我们的产品有什么看法？

在陪客人上街买东西时，常常会有这样的话题：
①这是著名的商业街，在这儿可以买到世界各地的名牌产品。
②这里的服装很受妇女们欢迎，您不给夫人来一件？
③那条街上的东西都很便宜，您要不要去看一下？
④我觉得这顶帽子很适合您戴。
⑤这些都是我们这里的特产，您可以买一些带回去给朋友们。

（4）告别与送行

客人临行前，总要与你告别，告别的语言是必须要掌握的：
①为您服务我觉得很愉快。
②我希望我们的接待没有给您留下什么不愉快的印象。
③希望您再次到我们这儿来做客。
④很希望再见到您。
⑤需要我为您做什么请来信吧。

当客人向你表示感谢时，你可以作以下回答：
①您太客气了。
②我的工作就是让您满意。
③谢谢您的夸奖。
④您过奖了。

当客人邀请你访问他的国家时，你可以说：
①有机会我一定去。
②我很想去你的国家看看。
③遗憾的是我现在工作很忙，离不开。
④到时候我会给您去信的。
⑤希望能在您的国家再见到您。

最后在机场送行的时候，你应该学会说一些离别时常说的话，并给客人美好的祝愿：

①路上多小心。

②请代我向您的家里人问好。

③如果方便的话，请给我来信。

④请多保重！

⑤祝您一路顺风！

⑥一路平安！

第六课　我喜欢和司机聊天儿

※※※※※※※※※※※※※※※※※※※※※※※※※※※※※※※※※※※※※※※

热身话题：

1. 你在中国常坐出租车吗？坐过哪种出租车？谈谈你坐出租车的一次经历。
2. 谈谈你对出租车司机的印象。

※※※※※※※※※※※※※※※※※※※※※※※※※※※※※※※※※※※※※※※

玛丽和大卫去看京剧，从剧场出来时，天下起了雨。他们决定打车回学校，可是打车的人很多……

大　卫：玛丽，你先在这儿避避雨，等我找到车再叫你。
玛　丽：算了，还是我来吧，你没有这样的体会吗？姑娘叫车比小伙子容易……
大　卫：你说的也许有点儿道理，那就看你的了。
玛　丽：（朝着远处开来的出租车招手）出租车！停一停！
大　卫：嘿！你也不看看就喊。那车里坐着人呢。
玛　丽：可是他的"空车"牌子立着呢！既然坐了人，怎么不把它扳倒呢？
大　卫：你别管那么多了。快！那边又来一辆。
玛　丽：（向刚开过来的出租车跑过去，出租车停了下来）师傅，北方大学去吗？
司机甲：北方大学？对不起，忙了一天，我还没吃饭呢，您找别的车吧。
玛　丽：您是不是嫌远哪？我听说拒载可是要挨罚的。您的车号是多少？
司机甲：哎哟！您可别，这不是要我的命吗？不骗您，我真的是要回家吃饭，想顺路再搭个客人。您想，北方大学在北边，我家在南边，这一去一回，少说也得一个来钟头，我们当司机的也是人，也得吃饭，对不？小姐，我求求您，换辆车吧，我叫您一声"大姐"，行了吧？
玛　丽：真拿您没办法，算了。
大　卫：（在不远的地方）玛丽，快来，我找了一辆车！（玛丽跑了过去）怎么样？根据我的经验，有时候小伙子叫车比姑娘容易。
玛　丽：看把你得意的！（打开车门）我坐前边吧，我喜欢和司机聊天儿。
大　卫：随你便。（和玛丽一起上了车）
司机乙：坐稳喽，开车啦！（对玛丽）看样子，你们都是留学生吧？从哪个国家来的？
玛　丽：美国。
司机乙：美国？那可够远的！你们这些人真行，年纪轻轻的就离开父母，独立生活，比我儿子强百倍。我那儿子，让他妈给惯得没个样儿，饭不会做，衣服也不会洗，这要是到了外国，……
玛　丽：（笑）师傅，我原来也不会做饭洗衣服，不是也离开父母了吗？做饭洗衣服又不难，不会可以学嘛！
司机乙：都像你这么想就好喽！
玛　丽：师傅，干您这行也挺辛苦的。
司机乙：那是！风里来雨里往的，有时候连饭都顾不上吃。有些人光看我们挣钱多，可我们的苦处他哪儿知道哇！别人一天干多少小时？我们干多少小时？我们不敢喝酒，没空儿看电影，更甭说上公园了。唉！挣这点钱可不那么容易！哪像你们外国人，挣钱又多，活得又那么潇洒。

玛　丽：师傅，外国人也不都是有钱的呀。拿我们来说，就算是外国人里的穷人吧，出门也不是老坐出租车。可有的出租车司机总觉得我们有钱，净想“宰”我们。

司机乙：干我们这行的是有些不争气的，有拒载的，有“宰”客的，有故意绕道的，把我们出租车司机的名声全都搞坏了。可话又说回来，天底下还是好人多，你说是吧？

玛　丽：这倒也是。我看您这个人就挺不错的，说话和气，不像有的司机，说话嘴里净带脏字，让人听了都脸红。

司机乙：有的人文化素质太低，说话就是不文明，遇到乱穿马路的，急了就骂两句。不过，有时候他们也不是真的骂谁，一张嘴就把脏字带出来了，成口头语了……瞧，净顾说话了，忘了问你们了，到了前边的路口是直走还是拐弯儿啊？拐弯儿虽说绕几步，可是路好走，不堵车。

玛　丽：怎么方便怎么走吧，听您的。

司机乙：别听我的呀，你是乘客，乘客是上帝，我得听你的。你说怎么走，我就怎么走。

玛　丽：出租车司机要是都像您这样就好了。

司机乙：你可别这么夸我。我们当司机的，不挨骂就算不错了。现在不是有句话叫做“理解万岁”吗？你理解干我们这一行的，就什么都有了。到了，二位。

玛　丽：给您钱。

司机乙：开票吗？

词　语

1.	避	（动）	bì	to seek shelter (from wind or rain)
2.	体会	（名、动）	tǐhuì	understand; to understand
3.	嘿	（叹）	hēi	hey
4.	扳	（动）	bān	to push
5.	拒载		jùzǎi	to refuse to carry a passenger
6.	顺路		shùnlù	on the way
7.	搭	（动）	dā	to carry a passenger on the way
8.	少说	（副）	shǎoshuō	at least
9.	稳	（形）	wěn	stablize
10.	独立	（动）	dúlì	independently; on one's own
11.	惯	（动）	guàn	to spoil
12.	顾不上		gùbushàng	cannot attend to

13. 甭	（副）	béng	don't
14. 潇洒	（形）	xiāosǎ	joyful and easily
15. 净	（副）	jìng	only
16. 故意	（形）	gùyì	on purpose
17. 绕道		rào dào	to go in a round about way; to make a detour
18. 名声	（名）	míngshēng	reputation
19. 和气	（形）	héqi	polite; kind
20. 脏（字）	（形）	zāng(zì)	dirty (words)
21. 素质	（名）	sùzhì	character
22. 文明	（形）	wénmíng	polite
23. 乘客	（名）	chéngkè	passenger
24. 上帝	（名）	shàngdì	God
25. 万岁		wànsuì	long live

注　释

1. **大姐**　男子对妇女的一种比较尊重而又亲近的称呼。
2. **理解万岁**　这句话的意思是"人和人之间永远需要互相理解"。

练　习

（一）

一、用正确的语调读下面的句子，并解释这些句子的意思：

1. 你说的也许有点儿道理，那就看你的了。
2. 哎哟！您可别，这不是要我的命吗？
3. 真拿您没办法，算了。
4. 看把你得意的！
5. 随你便。
6. 我那儿子，让他妈给惯得没个样儿，……
7. 天底下还是好人多，你说是吧？
8. 你理解干我们这一行的，就什么都有了。

二、根据课文回答下面的问题：

1. 出租车司机甲为什么不想让玛丽坐他的车？你知道他为什么怕玛丽抄他的车号吗？

2. 出租车司机乙对外国留学生的印象是什么？
3. 为什么说出租车司机是一个辛苦的行业？
4. 谈谈一些出租车司机的不良表现。

三、大家谈：

1. 谈谈你对你所在城市出租车行业的了解。
2. 谈谈出租车司机应有的职业道德。
3. 如果你是一个出租车司机，你不喜欢或者害怕哪种乘客？为什么？遇有这样的乘客要坐你的车，你怎么办？
4. 怎样理解“乘客是上帝”这句话？

四、叙述：

以一个出租车司机的口吻，叙述自己的日常生活。

（二）

五、用指定的词语完成下面的对话，然后用它做模仿会话练习：

1. 甲：我不会跳舞，可是她非要跟我跳。
   乙：____________________（既然）
2. 甲：你看这位老太太多大年纪了？
   乙：____________________（少说）
3. 甲：我的钱包丢了，怎么办呢？
   乙：____________________（看把你……的）
4. 甲：怎么，你不会用汉语写文章？
   乙：____________________（更甭说）
5. 甲：这样坐着不舒服。
   乙：____________________（怎么……怎么……）

六、回答下列问题，用上下面句子中划线部分的词语：

1. 谈谈年轻人独立生活的好处。
2. 你认为怎样才算是活得潇洒？
3. 说说生活中的不文明表现。
4. 怎样才能提高国民的文化素质？

七、成段表达：

1. 介绍你们国家的出租车行业。
2. 谈谈你对“理解万岁”这句话的理解。

八、阅读下面的短文，然后发挥你的想像力，进行——

机智的回答

孔融（Kǒng Róng）是汉朝有名的文学家，他小时候就非常聪明。六七岁的时候，很多有学问的人出难题考他，从来没有人把他难住。有一次，孔融参加了一个宴会。在宴会上，孔融回答了大家提出的很多问题，受到大家的称赞。有一个人看大家都夸他，心里很不服气，就对大家说：“我看，小时候聪明的人，长大以后不一定聪明。”孔融听了，马上对他说：“……。”

补充词语

1. 抄	（动）	chāo	to copy
2. 不良	（形）	bùliáng	bad
3. 职业	（名）	zhíyè	job；duty
4. 道德	（名）	dàodé	morals
5. 学问	（名）	xuéwen	knowledge；scholarship
6. 称赞	（动）	chēngzàn	to praise
7. 服气	（动）	fúqì	to be convinced
8. 机智	（形）	jīzhì	quick-witted

第七课　读书是一种享受

※※

热身话题：

1. 你喜欢买书还是借书？说说理由。
2. 在中国，你常去什么地方买书？买了些什么书？
3. 你最喜欢看什么书？

※※

玛丽和大卫听王峰说动物园附近举办了一个特价书市，大清早就赶来了，谁知书市还没开始卖书，售票处已经排起了长长的队伍……

玛　丽：我的妈呀，这么多人！这得排到什么时候去呀？

大　卫：别多说了，快去排吧，待会儿人更多了。

（二人排到队伍的末尾）

玛　丽：（对排在她前面的一个中年男人）来书市的人怎么这么多呀？

中年人：买书的人多说明读书的人多，这可是好事啊，“开卷有益”嘛。我倒是希望买书的人比上饭店、买时装的人多。

玛　丽：听您的口气，您对书很有感情啊。

中年人：您算是说着了。我这个人哪，一不爱抽烟，二不爱喝酒，就爱看书。每月挣的这些钱，除了吃穿日用，差不多全都买了书了。

玛　丽：是吗？那您家里人没意见哪？

中年人：多少有那么点儿吧。本来挣钱就不多，又这么个花法，没意见那才怪呢。别人就更不理解了，都叫我“书呆子、书痴、书虫……”叫什么的都有，可就是离不开一个“书”字。

玛　丽：对喜欢书的人来说，读书是一种享受，哪儿还想得了那么多？

中年人：真没想到，今天在这儿碰上一个知己，还是个外国人。

大　卫：今天不是周末，怎么还这么多人哪？你们今天都不上班吗？

中年人：特价书市一年就办这么一两次，谁不想早点儿来看看哪？来晚了，好书就都卖完了。这些人，有请假的，有倒休的，反正都是爱看书的人。要不，谁大早起的上这儿来站着呀！

大　卫：这儿的书在书店里没有卖的吗？

中年人：这不是图个便宜嘛！这儿卖的书，九折到五折，比在书店买便宜多了。要是买得多，能省出一大笔钱呢！哎，快排好吧，开始卖票了。

（玛丽和大卫买了票走进书市，看到一个个摊位排成行，摊位的上方分别标着各个出版社和书店的名字。他们来到一个书摊。）

玛　丽：大卫，快来！这儿有你喜欢的卡通书。

大　卫：在哪儿？我看看！哟，这么多！买哪个好呢？玛丽，你看，这儿还有《三国演义》呢。（一位妇女和玛丽搭上了话）

妇　女：姑娘，要照我说，这些中国古典名著的小人书——噢，也就是你们说的卡通书——你们真该买一些，又有字，又有画，看起来容易懂。要是看原著，别说是你们，我都觉得难。

玛　丽：是那么回事。哎，您买这么多卡通书，是给您孩子看的吧？

妇　女：可不是！当父母的有点儿钱还不都花在孩子身上！不过，闲着没事的时候我也翻翻。你还别说，成年人看小人书也有上瘾的时候。

玛　丽：我能看看您买的书吗？……《十万个为什么》、《少年百科全书》、《有趣的动物世界》、《小学生优秀作文选》、《上下五千年》……嗬，真不少。您孩子多大了？这些书他都能看懂吗？

妇　女：孩子刚上小学，有的也看不太懂，早点儿给他预备着吧，人家都说这是"智力投资"，反正书多了没坏处。

大　卫：您为孩子可真是想到家了，我现在算是体会到什么是你们中国人常说的"可怜天下父母心"了。

妇　女：咳！当父母的，都这样。哎，你们还想买什么书，我帮你们参谋参谋。

玛　丽：我主要想买一些工具书。

妇　女：那边有个教育书店，工具书可多了。我昨天还在那儿买了不少呢。

玛　丽：（对大卫）那我去那边看看，待会儿你去找我。（对妇女）谢谢您了。

大　卫：这儿的人那么多，我哪儿找你去呀？

玛　丽：找不着咱们就门口见，不见不散！

（玛丽在书摊上买了不少工具书，售货员正在帮她把书捆好。）

售货员：您今天买的书可真不少哇。

玛　丽：先生，有件事我不明白，我买的这些书里，有很多都是新出版的，有些还是畅销书。这么好的书为什么要降价呢？

售货员：一般人认为，降价书都是卖不动的，其实不一定。现在出版社、书店多了，有个市场竞争问题。很多出版社、书店到这儿来摆摊儿，不完全是为了赚钱，也是为了吸引顾客，提高自己的知名度。

玛　丽：噢，是这么回事，

售货员：刚才书市门口有电视台的记者来采访，像您这样的"购书状元"，如果接受了采访，"知名度"肯定也会提高的。

玛　丽：是吗？先生，要是不麻烦的话，还是请您帮我把书拿出去吧。

售货员：怎么？

玛　丽：你们中国不是有一句话吗？叫做"人怕出名猪怕壮"。

词　语

1. 末尾	（名）	mòwěi	end
2. 时装	（名）	shízhuāng	fashion
3. 意见	（名）	yìjiàn	complaint
4. 多少	（副）	duōshǎo	more or less

5.	本来	（副）	běnlái	it goes without saying
6.	怪	（形）	guài	strange; queer
7.	知己	（名）	zhījǐ	a person for whom one has profound friendship built on mutual understanding
8.	图	（动）	tú	to pursue; to seek
9.	分别	（副）	fēnbié	differently
10.	标	（动）	biāo	to label
11.	卡通	（名）	kǎtōng	cartoon
12.	搭话		dā huà	to strike up a conversation with sb.
13.	古典	（形）	gǔdiǎn	classical
14.	名著	（名）	míngzhù	masterpiece
15.	原著	（名）	yuánzhù	original work
16.	百科全书		bǎikēquánshū	encyclopaedia
17.	预备	（动）	yùbèi	to get ready
18.	智力	（名）	zhìlì	intelligence
19.	投资		tóu zī	to invest
20.	参谋	（动）	cānmóu	to advise
21.	工具书	（名）	gōngjùshū	reference book; dictionary
22.	捆	（动）	kǔn	to tie
23.	畅销	（动、形）	chàngxiāo	to sell well; popular
24.	竞争	（动）	jìngzhēng	to compete
25.	赚钱		zhuàn qián	to earn (money)
26.	知名度	（名）	zhīmíngdù	popularity

注　释

1. **特价书市**　以特别降低的价格出售图书的展销会。
2. **开卷有益**（yì）　打开书本阅读，就会有所得。
3. **书呆(dāi)子、书痴(chī)、书虫**　这三个词语都是指那些读起书来会忘掉周围一切的人，含贬义。
4. **倒**（dǎo）**休**　（职工）掉换工作日和休息日。
5. **《三国演义》**　中国古典文学名著，是元末明初的作家罗贯中根据《三国志》等史书编写的一部长篇历史小说。
6. **可怜天下父母心**　世界上作父母的，大多愿为子女牺牲自己的一切，令人感叹。
7. **不见不散**　人们约会时的常用语，意思是约会时一定要等对方的到来，不要擅自离去。
8. **状(zhuàng)元**　古时科举考试，成绩最好的称为状元，现比喻在某一方面做得最出色的人。
9. **人怕出名猪怕壮(zhuàng)**　俗语。意思是人一出了名，就会受到别人的注意，遭到嫉妒、排挤和打击，就像猪长肥了就会被人杀掉一样。

练　习

（一）

一、用正确的语调读下面的句子，并解释这些句子的意思：

1. 您算是说着了。
2. 多少有那么点儿吧。
3. 本来挣钱就不多，又这么个花法，没意见那才怪呢。
4. 这不是图个便宜嘛！
5. 是那么回事。
6. 你还别说，成年人看小人书也有上瘾的时候。
7. 书多了没坏处。
8. 您为孩子可真是想到家了。
9. 找不着咱们就门口见，不见不散！

二、根据课文回答问题：

1. 为什么特价书市特别受欢迎？
2. 那位中年人为什么把玛丽看成知己？
3. 那位妇女为什么要给孩子买那么多书？
4. 为什么一些畅销书也被拿到书市降价出售？

三、大家谈：

1. 谈谈你对“开卷有益”这句话的理解 。
2. 介绍你知道的一、两本中国名著 。
3. 该不该对孩子进行早期智力投资？
4. 你是否认为“读书是一种享受”？
5. 如果让你办一个书店，你将用什么办法吸引读者？

四、复述课文：

1. 以课文中中年人的口吻，谈谈自己对书的感情。
2. 以课文中妇女的口吻，谈谈自己为什么给孩子买书。
3. 用第三人称叙述玛丽和大卫在特价书市买书的经过。

（二）

五、替换划线部分的词语，然后各说一句完整的话或用于对话中：

1. 这得排到什么时候去呀
   等
   写
   研究

2. 您算是说着了
   猜
   买
   等

3. 这不是图个便宜嘛
   方便
   吉利
   新鲜

4. 您为孩子可真是想到家了
   儿子　　做
   我们　　考虑
   旅客　　服务

六、完成下面的对话，然后用上带点儿的词语做模仿会话练习：

1. 甲：对不努力学习的学生，我们不能给他办理延长手续。
   乙：听您的口气，____________________。
2. 甲：你是不是爱上她了？
   乙：多少有那么点儿吧，____________________。
3. 甲：他这次考试又不及格。
   乙：____________________，考得好那才怪呢！
4. 甲：妈妈让我回国，可我不想走。
   乙：要照我说，____________________。

5. 甲：他不尊重别人，别人怎么会尊重他？
乙：是那么回事，＿＿＿＿＿＿＿＿＿＿＿＿。
6. 甲：你看她长得像不像咱们国家的一位电影明星？
乙：你还别说，＿＿＿＿＿＿＿＿＿＿＿＿。

七、成段表达：

介绍给你印象很深或对你影响很大的一本书。

补充词语

1. 早期	（名）	zǎoqī	early stage
2. 是否		shìfǒu	if
3. 人称	（名）	rénchēng	person
4. 旅客	（名）	lǚkè	traveller；passenger
5. 闹	（动）	nào	to make a noise；to stir up trouble
6. 办理	（动）	bànlǐ	to handle；to transact
7. 延长	（动）	yáncháng	to extend
8. 尊重	（动）	zūnzhòng	to respect

补充材料

都卖完了（趣闻）

一位大作家到邻国访问。到了这个国家的首都，他决定参观全市最大的书店。大作家要来的消息传到书店老板的耳朵里，老板非常高兴。为了表示对这位大作家的尊重和欢迎，老板决定给他一个惊喜。于是，他让人把其它书都撤下来，在所有的书架上摆满了大作家的著作。

大作家来到书店后，见书架上全是自己的书，先是一喜，后是一惊："怎么？你们这里不卖其它书吗？"大作家奇怪地问。

书店老板忙回答："卖的。"

"那其它作家的书呢？"

"都……都卖完了。"

第八课　我从小就喜欢看足球

※※※※※※※※※※※※※※※※※※※※※※※※※※※※※※※※※※※※※※※

热身话题：

1. 你喜欢看足球吗？为什么？
2. 说说你最喜欢的足球队和球星。
3. 谈谈你喜欢的其它运动。

※※※※※※※※※※※※※※※※※※※※※※※※※※※※※※※※※※※※※※※

校学生会替球迷们购买了一批足球票，安娜听说了这个消息，也排进了买票的队伍，在这里，遇见了日本留学生山本志雄。

安　娜：你好，“先辈”，怎么，你也来买票？
山　本：是啊，我从小就喜欢看足球，平时不管学习多忙，一听说电视里转播足球比赛，心里就痒痒。你还不知道吧，我在上中学的时候，还是校足球队的呢。
安　娜：还真没看出来。看你一副文弱书生的样子，我还以为你只会闷在屋里看书呢。
山　本：人不可貌相。我在日本的时候，参加过全国大学生运动会，得过马拉松赛的第四名。别看是第四，破了我们大学的校纪录。至于在学校的比赛中拿冠军，那是常事。
安　娜：真的？那我对你可得另眼相看了。那么，明天咱们一起去看球吧，你也给我讲讲足球比赛的常识。说起来真不好意思，我虽然常看球，可并不懂球，就是图个热闹。再有，我喜欢看那些小伙子在球场上冲锋陷阵。哎，你看过金狮队的比赛吗？我最喜欢金狮队的10号，球踢得好，人长得也挺帅，我们都叫他“帅哥”。
山　本：看来你也属于球场“追星族”了。
安　娜：追星族有什么不好？人家是“星”，我愿意去追。有人想让我追，我还看不上他呢。
山　本：你这话不是说我呢吧？
安　娜：你别多心，我这是随便说呢。你那么有本事，也算是个“星”呢。
山　本：你太抬举我了！那咱们就说定了，明天五点钟我去找你，咱们一块儿走。
安　娜：一言为定。

（在球场。球场上彩旗飞舞，锣鼓声响成一片。）
安　娜：这儿可真热闹哇！像开庆祝会似的。我还说咱们来早了呢，这刚几点哪，球场已经快坐满了。
山　本：我在日本就听说中国的球迷了不得。今天一看，果然是名不虚传。
安　娜：今天金狮队对哪儿啊？
山　本：瞧你，也不知谁跟谁比赛，就跑来了。今天是金狮队对猛虎队。
安　娜：猛虎队？那金狮队肯定会赢。
山　本：那可不一定。听说猛虎队有好几个国家队队员，今年已经连赢几场了。不过，今天是金狮队的主场，有这么多球迷的支持，谁输谁赢就难说了。
安　娜：金狮队要是能赢的话，肯定是10号进的球。快看！球开始了。看见没有？

金狮队带球的那位就是10号。（对着球场大声喊）10号，加油！

山　本：你的嗓门儿真够尖的，一个人就赛过一支拉拉队，10号肯定能听到。

安　娜：可他不知道是谁喊的。看哪，又是10号，快！快射门！噢！进啦！太棒了！我说什么来着？10号肯定会进球。可惜大卫和王峰他们今晚有比赛，不能来看球，那两个才是金狮队的“铁杆儿球迷”哪。

山　本：他俩要是来了，这儿就更热闹了。

（第二天，安娜见到大卫和王峰。）

王　峰：安娜，听说你昨天去看球了？

安　娜：是啊。听说了吗？金狮队赢了，1比0，是10号进的。嘿！那球进得真漂亮！

大　卫：他们赢了，我们可输了。昨晚运气不好，那球怎么投都不进。

王　峰：是啊，本来大卫三分球投得挺准的，昨晚一个也没进。

大　卫：也怪裁判。对方好几次犯规，把我手都打肿了，裁判一次也没吹。

安　娜：你们哪，输了球就知道怨裁判。要我说呀，你们是手上打着篮球，心里想着足球哪！

大　卫：哎，你怎么知道得那么清楚？

词　语

1.	购买	（动）	gòumǎi	to buy
2.	队伍	（名）	duìwu	ranks; line up
3.	转播	（动）	zhuǎnbō	(of radio or TV) broadcast
4.	文弱书生		wénruòshūshēng	a frail scholar
5.	闷	（动）	mēn	to cover tightly
6.	马拉松	（名）	mǎlāsōng	marathon
7.	破（记录）	（动）	pò(jìlù)	to break a record
8.	至于	（连）	zhìyú	as for
9.	冠军	（名）	guànjūn	champion
10.	另眼相看		lìngyǎnxiāngkàn	to treat sb. with special new respect
11.	球场	（名）	qiúchǎng	field
12.	冲锋陷阵		chōngfēng xiànzhèn	to charge forward
13.	踢	（动）	tī	to play (football, etc.); to kick
14.	帅	（形）	shuài	handsome
15.	多心		duō xīn	oversensitive
16.	抬举	（动）	táiju	to praise
17.	飞舞	（动）	fēiwǔ	to dance in the air

18. 锣鼓	（名）	luógǔ	gongs and drums
19. 庆祝	（动）	qìngzhù	to celebrate
20. 了不得		liǎobude	extraordinary
21. 名不虚传		míngbùxūchuán	to enjoy a well-deserved reputation
22. 输	（动）	shū	to lose; to be defeated
23. 赢	（动）	yíng	to win
24. 主场	（名）	zhǔchǎng	home playing field
25. 支持	（动）	zhīchí	to support
26. 加油		jiā yóu	to make an extra effort; Go!
27. 嗓门儿	（名）	sǎngménr	voice
28. 尖	（形）	jiān	sharp
29. 射（门）	（动）	shè(mén)	to shoot (at the goal)
30. 运气	（名）	yùnqi	luck
31. 裁判	（名）	cáipàn	referee
32. 对方	（名）	duìfāng	the other party
33. 犯规		fàn guī	to foul
34. 吹	（动）	chuī	to whistle
35. 怨	（动）	yuàn	to blame; to complain

注　　释

1. **人不可貌**（mào）**相**（xiàng）　不能只从人的外貌判断一个人。
2. **追星族**　指过于狂热地崇拜文艺、体育明星的人，多为少男少女。
3. **拉拉队**　体育比赛中，在旁边或在观众席上给运动员呐喊助威的一组人。
4. **我说什么来着**　意思是“我没说错吧”，带有得意的语气。
5. **铁杆儿**（gǎnr）**球迷**　指非常爱看球而且忠实于某一球队的球迷。
6. **三分球**　篮球比赛中，远距离投篮命中可以得三分。

练　　习

（一）

一、用正确的语调读下面的句子，并解释这些句子的意思：

1. 还真没看出来。
2. 真的？那我对你可得另眼相看了。
3. 看来你也属于球场“追星族”了。
4. 你太抬举我了！
5. 我说什么来着？10 号肯定会进球。

6. 那两个才是金狮队的“铁杆儿球迷”哪。

二、根据课文，用上所给的词语回答下面的问题：

1. 安娜为什么喜欢看足球？
（图　热闹　球场　冲锋陷阵）
2. 说说山本在体育运动中取得的成绩。
（运动会　马拉松　破纪录　拿冠军）
3. 说说安娜在球场上的表现。
（喊　加油　嗓门儿　尖　拉拉队）
4. 山本是怎样分析金狮和猛虎两队的比赛的？
（国家队　赢　主场　球迷　支持　难说）
5. 大卫他们为什么会输球？
（运气　投　准　裁判　犯规　吹　怨）

三、请你说说：

1. 为什么世界上那么多人喜爱足球运动？
2. 什么样的人可以称为“铁杆儿球迷”？
3. 你怎样看球场“追星族”？
4. 怎样对待球场上裁判的误判？

四、请说出五到十个与足球比赛有关的术语。

（二）

五、完成下面的对话，然后用上带点儿的词语做模仿会话练习：

1. 甲：为什么好几天见不到小张了呢？
乙：你还不知道吧，____________。
2. 甲：这么小的个子也能打篮球？
乙：人不可貌相，____________。
3. 甲：大家是不是都觉得我很笨？
乙：你别多心，____________。
4. 甲：糟了，我把自行车丢在商店门口了。
乙：瞧你，____________。
5. 甲：他和他的妻子昨天离婚了。
乙：我说什么来着？____________。

6. 甲：我不想参加他们的晚会，可又不好意思跟他们说。

乙：要我说呀，＿＿＿＿＿＿＿＿＿＿＿。

六、词语扩展练习：

下面是课文中出现的足球比赛中常用的动词，请说出可以与它们搭配的词语，然后试着把它们扩展成句：

踢　射　带　赢　输　进　加油

七、根据所给的话题，选用下面的词语进行对话：

1. 谈论一次看比赛的经历；
2. 和一位运动员聊天儿；

至于　另眼相看　帅　多心　输　了不得　抬举　棒

运气　名不虚传　赢　支持　怨　拿冠军　难说　可惜

八、成段表达：

1. 介绍足球运动在你们国家的发展状况。
2. 足球在许多国家被当作“国球”。谈谈你们国家的“国球”及受欢迎的原因。

补充词语

1. 误判		wùpàn	misjudge
2. 术语	（名）	shùyǔ	terminology
3. 分析	（动）	fēnxī	to analyse
4. 扩展	（动）	kuòzhǎn	to expand
5. 状况	（名）	zhuàngkuàng	state

补充材料

足球趣闻（五则）

一

妻子：你只关心足球比赛，一点儿也不关心我。

丈夫：我怎么不关心你了？连我们的结婚纪念日我都记得清清楚楚呢！

妻子：那你说，我们是什么时候结婚的？

丈夫：这你难不倒我，我们是在意大利队和巴西队争夺冠军的那场球赛看完之后。

二

医生问病人："你说你晚上做很多梦，都梦见什么了？"

"足球赛，我总是梦见自己是守门员。"病人答道。

"只是梦见足球赛？没梦见别的什么吗？"

"没有，只是足球。"

"你连你的女朋友都没梦见过吗？"

病人微笑着摇摇头说："那怎么行呢？我要是一分心对方就会进球的。"

三

甲：你喜欢看足球赛吗？

乙：那当然。

甲：太好了！今晚电视里有足球转播，你可一定到我家来看哪！

乙：为什么？

甲：为了多一票呗！我和我爸喜欢看足球，我妈和我姐不爱看。我妈说了：今晚看什么节目得举手表决。你要是能来，我们想看球的不就多了一票吗？

乙：太遗憾了！我们家看电视也是举手表决。我一走，我爸就剩下一票，他又看不成了。

甲：这……

四

妈妈：别看了，快吃饭吧！

儿子：等会儿，进一个球就吃。

（一小时后，足球比赛结束了）

妈妈：这回该吃了吧？

儿子：不能吃了。

妈妈：为什么？

儿子：一个球也没进！

五

足球比赛只剩一分钟就要结束了，一位观众跑上看台，气喘吁吁地问身边的人："进球了吗？比分是多少？"身边的人回答说："零比零。"这位观众深深出了一口气，高兴地说："太好了！一点儿也没耽误。"

第九课 我们这里不算富

※※

热身话题：

1. 你去过中国的农村吗？去的是什么地方的农村？谈谈你的感受。
2. 如果你有机会去农村，你最想了解的是哪些方面的情况？

※※

学校组织部分留学生到郊区农村参观，回来后玛丽和迈克在班上讲了他们参观的体会……

玛　丽：一提到中国的农村，我的脑子里总是有这么一种印象：荒凉的土地上，有一些用泥和茅草盖的房子。那里没有电，也没有水，晚上只能用小油灯照个亮，用水要到几里地以外的地方去挑。这种印象大概是从中国的一部很老的电影中得来的，所以来中国以前，中国农民给我的感觉是很可怜的。

这次学校组织我们去农村参观，却改变了我多年的印象。我们去的地方离我们住的城市不远，汽车在高速公路上只跑了三个多小时就到了。学校说为了我们生活方便，安排我们住在县城里，这多少有点儿让人失望，因为我很想尝尝农民家里"热炕头"的滋味。不过，一看到这座县城就够我吃惊的了：这里有几座五六层高的百货大楼，日常生活用品在这里都能买到，虽然高档商品少一些，可是各种各样的彩电、录音机、电冰箱什么的也摆满了柜台。听售货员说买的人还挺多，而且大部分是附近村子里的农民。看来这里农民的生活不会像我想像的那么苦。

迈　克：我们去参观了一所寄宿制小学。进校门的时候，几百名学生排着军人一样整齐的队伍欢迎我们。看到他们好奇、天真和兴奋的笑脸，我知道他们是真心欢迎我们的。我们参观了他们的教室、宿舍和食堂。校长告诉我们，这些孩子的家大都在山区，因为住得分散，每天上学很不方便，于是父母把他们送到这儿来，一个星期回一次家。这儿的费用并不贵，所以想送孩子到这里来上学的挺多。孩子们在这里除了学习、娱乐，还要学会自己管理自己，他们要学会洗小件的衣物，打扫宿舍的卫生。我们听了二年级的一节语文课。也许是因为有客人在旁边吧，孩子们坐着的时候腰都挺得直直的，老师一提问题，他们的小手都举得高高地争着回答，声音也特别响亮。不过我也看见一两个"小淘气"，不注意听讲，眼睛东看西看，还朝我们做鬼脸——跟我小时候一个样。听他们的课真让我感到不好意思，因为他们说的话有很多我听不懂，可这才是小学二年级的水平啊！下课以后，我们和孩子们聊天儿，了解他们的家庭情况。这些孩子大概很少和外国人接触，说话有点儿紧张。可是后来和我们一块儿照相、做游戏的时候，他们那活泼、可爱劲儿就全出来了。

玛　丽：从小学校出来，我们到附近一个村子参观。尽管我心里清楚，我们去的一定是比较富裕的地方，可这里的一切还是使我大吃一惊。农民的住房可漂亮了，大多是两层的小楼，和我原来印象中的农村完全两样。我进去的那一家，里边的家具和电器挺全挺新的。这家只有三口人，却住了五六间房子。我问主人是不是还干农活儿，他告诉我说，现在干农活儿都用机器，所以用不了那么多人了。村里办了个服装厂，他就在那儿工作。他还说自己在村里不算是最富的。我有点儿失望地说："现在你们的生活都现代化了，我想看的'热炕头'也没有了。"他说："巧了，我的舅舅岁数大了，就喜欢睡热炕头，我带你去他家看看。"我一听可高兴了。我在这个有热炕头的农民家里坐了半天，照了不少相片，了解了好多过去和现在农民的生活情况。

迈　克：最后一天，我们参观了一个敬老院。这里住着几十位老人，收费比其他地方少得多。敬老院的负责人对我们说："这些老人辛苦了一辈子，没有他们也就没有我们的今天，现在我们的生活好了，不能忘了他们。"这些老人大多是本村的，有的是一个人住在这里，有的是老两口。我问了几位老人，他们对这里的生活都挺满意的：房间有服务员打扫，吃饭有食堂，看病有医务室。在这里，每天除了一日三餐，老人们可以看电视、打牌、散步、聊天儿，有时还一起练练气功。老人的子女也常来看他们，有时接他们回家住几天。老人们说，住在这里什么都不用操心，也不会给子女添麻烦，日子过得挺舒服的。因为这儿的敬老院办得好，也吸引了一些城里的老人。可是听说他们的费用要高一些，而且子女因为家远或工作忙，不能常来看他们，所以他们的心情不如本地老人好。

给我印象最深的，是村里一位领导在我们临走时说的话。他对我们说："我们这里的情况，你们大概都了解了。和中国南方沿海地区的农村比，我们这里不算富；可是比起内地的许多地方，我们的生活可好多了。中国这么大，各地农村的情况也不一样。我希望你们多去一些地方看看，那样你们才可以说：我了解中国的农村了。"我觉得他说这些话的时候，态度是真诚的。

词　语

1. 荒凉	（形）	huāngliáng	bleak and desolate
2. 土地	（名）	tǔdì	land
3. 泥	（名）	ní	mud
4. 茅草	（名）	máocǎo	thatch
5. 油灯	（名）	yóudēng	oil lamp
6. 挑	（动）	tiāo	to carry
7. 高速公路	（名）	gāosùgōnglù	express way
8. 县城	（名）	xiànchéng	county town
9. 失望	（形）	shīwàng	disappointed

10. 滋味	（名）	zīwèi	taste；feeling
11. 柜台	（名）	guìtái	(sales) counter
12. 高档	（形）	gāodàng	high-grade
13. 军人	（名）	jūnrén	soldier
14. 好奇	（形）	hàoqí	curious
15. 天真	（形）	tiānzhēn	innocent
16. 兴奋	（形）	xīngfèn	be excited
17. 山区	（名）	shānqū	mountain area
18. 分散	（形）	fēnsàn	scattered
19. 费用	（名）	fèiyòng	cost；expenses
20. 卫生	（名）	wèishēng	sanitation
21. 腰	（名）	yāo	back
22. 挺	（动）	tǐng	to straighten
23. 响亮	（形）	xiǎngliàng	loud and clear
24. 淘气	（形）	táoqì	naughty
25. 做鬼脸		zuò guǐliǎn	to make faces
26. 活泼	（形）	huópo	lively
27. 富裕	（形）	fùyù	prosperous；rich
28. 农活儿	（名）	nónghuór	farm work
29. 医务室	（名）	yīwùshì	clinic
30. 操心		cāo xīn	to worry about
31. 临	（介）	lín	just before
32. 沿海		yánhǎi	coastal
33. 内地	（名）	nèidì	inland
34. 真诚	（形）	zhēnchéng	sincere

注　释

1. **热炕（kàng）头**　中国北方农村，用砖石砌成睡觉的炕，冬天在炕下生火，把炕烧热取暖。
2. **寄宿制小学**　有集体宿舍供学生住宿的小学。
3. **敬老院**　由政府或集体举办的收养老人的机构，也称养老院。

练　习

（一）

一、根据课文，从提示的几个方面回答下面的问题：

1. 玛丽过去印象中的农村是什么样的？

（土地……，房子……，电……，水……）

2. 县城里的哪些现象使玛丽感到吃惊？
（百货大楼……，日用生活用品……，柜台……）

3. 迈克眼中的孩子们是什么样的？
（整齐　好奇　天真　兴奋　响亮　淘气　紧张　活泼　可爱）

4. 玛丽在农民家看到了什么？
（住房　家具　电器　热炕头）

5. 介绍迈克看到的敬老院。
（房间……，食堂……，医务室……）
（看电视　打牌　散步　聊天儿　练气功）
（满意　操心　舒服）

二、结合课文内容，就以下问题进行讨论：

1. 去了解农民的生活是不是最好住在农民家中？
2. 家用电器多少是衡量农村现代化的标志吗？
3. 小学生进寄宿制学校有没有好处？
4. 怎样才算是真正了解了中国的农村？

三、就以下论点分正方与反方进行辩论：

1. 老人住在敬老院比住在家里好；
老人住在家里比住在敬老院好；

2. 农村走向现代化以后，就不应该再称为农村；
农村走向现代化以后，仍应称为农村。

（二）

四、用指定的词语完成下面的句子，然后用它做模仿会话练习：

1. 他的讲演不算太长，______________。
（只……就……）

2. 今天有几位老师来听我们班的课，______________。
（多少有点儿……）

3. 已经要了七八个菜，______________。
（够……的了）

4. 这孩子动不动就发脾气，______________。

（跟……一个样）

5. 他们结婚的时候不习惯穿白色的衣服，＿＿＿＿＿＿＿＿＿＿。

（和……完全两样）

五、给下面的形容词搭配几个适当的词语：

荒凉　好奇　天真　兴奋　响亮　淘气　活泼　富裕　真诚

六、成段表达：

请说一说你们国家农村的情况及其与城市的主要差别。

七、社会调查：

在有条件的情况下，去附近农村看一看，并采访当地的农民，了解他们的生产与生活，回校后向全班同学汇报。

八、阅读下面的短文，指出——

错在哪里（二则）

一

一位汉语学得还不到家的老师给学生讲课。他在解释“东西”这个词的时候说：“中国人把物品称为‘东西’，比如说桌椅、电视机什么的。‘东西’这个词不能用在人的身上，你们都不是‘东西’，我也不是‘东西’。”

一个学生低声说：“老师说错了。”

二

有一个人，喜欢说大话。有一天，他又向他的邻居夸口说：“你们见过大蛇吗？我见过一百多米长、十米宽的蛇。”别人不信，他忙改口说：“没有一百米，也有五六十米长。”见别人还不信，他又减少到三十米。二十米，最后，他大声对邻居说：“长十米的蛇总会有吧？”话刚说完，他忽然闭上了嘴。他意识到自己错了。

补充词语

1. 衡量	（动）	héngliáng	to judge; to measure
2. 标志	（名）	biāozhì	symbol
3. 称	（动）	chēng	to call
4. 仍	（副）	réng	still

5. 差别	（名）	chābié	difference
6. 物品	（名）	wùpǐn	goods
7. 说大话		shuō dàhuà	to boast
8. 夸口		kuā kǒu	to boast
9. 蛇	（名）	shé	snake
10. 改口		gǎi kǒu	to correct oneself
11. 闭	（动）	bì	to close or shut
12. 意识	（动）	yìshí	to realize

第十课 今天是青年节

※※※※※※※※※※※※※※※※※※※※※※※※※※※※※※※※※※※※※※※

热身话题：

1. 在你的大学里有些什么学生团体？你对哪些团体感兴趣？
2. 在你居住的城市里常举办哪些社会公益活动？

※※※※※※※※※※※※※※※※※※※※※※※※※※※※※※※※※※※※※※※

青年节这天，玛丽在校园里遇到王峰，王峰骑着一辆平板车，车上装满了衣物……

玛　丽：王峰，你这是去哪儿啊？
王　峰：去学生会送衣服。
玛　丽：这是谁的衣服？这么多！
王　峰：噢，这是我们班同学捐献的衣服。
玛　丽：捐献？捐给谁的？
王　峰：给灾区呀！你没听说吗？中国南方有个地区发生了水灾，老百姓的东西都冲走了，挺可怜的。看了电视上的报道，大家都觉得该为灾区人民做点儿什么。这不，校学生会组织大家捐献衣物，同学们都挺响应的，一下子捐了这么多。
玛　丽：我说今天大家怎么都忙忙碌碌的，原来都在做这件事啊！
王　峰：也不全是。今天是青年节，学生会组织了很多活动。你要不要跟我去看看热闹？
玛　丽：那还用说！
王　峰：学生会离这儿可不近，你要是不觉得委屈，就坐我的平板车吧。
玛　丽：我还是在后边跟着走吧。上次坐你的车，就差点儿把我摔下来。

（学生会门口，放着一张张桌子，桌子前面摆着各种各样的宣传画，玛丽跟着王峰来到接收捐献衣物的桌子前面，把衣服从车上搬下来。这时，学生会主席走了过来……

主　席：（对玛丽）谢谢你来帮助我们。
玛　丽：谢我什么呀？我又没捐什么。
主　席：你为我们出了不少力，我们就挺感谢的了。
玛　丽：说这话可就见外了，别忘了，我也是咱们学校的学生啊！对了，说到捐献我想起一件事，我在报纸上常看到“希望工程”这个词，有很多人为它捐款，什么是“希望工程”啊？
主　席：在中国一些贫困地区，因为没有钱建学校，孩子们要到很远的地方上学；另外，有的孩子因为家里穷，买不起书本，只好中途退学。我们搞“希望工程”，就是用大家捐来的钱建一些学校，或者资助贫困学生，让他们能继续学习。
玛　丽：这真是个好办法。

（远处传来一阵锣鼓声，玛丽、王峰他们都被吸引过去）

玛　丽：他们在干什么？好像是在唱京剧。

王　峰：他们是学生剧团的，今天在这儿演出，既可以宣传他们的成果，又可以吸引大家参加他们的剧团。

玛　丽：咱们学校里这样的团体多吗？

王　峰：不少。有京剧团、合唱团、歌舞团、学生乐团，还有文学社、登山协会、武术协会，至于各种运动队那就更多了。他们今天都会组织一些活动，发展新会员，把更多的学生吸收到他们的组织里。

玛　丽：怪不得今天校园里这么热闹呢！王峰，你今天还有什么事要做吗？

王　峰：要做的事可多了，我忙得都转不开身了：一会儿我要去参加红十字会义务献血的街头宣传；下午我们系要参加全校举行的拔河比赛，中午得找人组织一个拉拉队；晚上还得排练合唱，过几天要比赛呢。

玛　丽：我说你悠着点儿吧，别累趴下了！

王　峰：下午有空儿去给我们加油助威吧，有好几个你认识的朋友都是我们拔河队的。

玛　丽：那我得去。还要我帮你们做些什么吗？对！给你们带几块巧克力！

词　语

1. 捐献	（动）	juānxiàn	to contribute；to donate
2. 捐	（动）	juān	to contribute；to donate
3. 灾区	（名）	zāiqū	afflicted area
4. 水灾	（名）	shuǐzāi	flood
5. 老百姓	（名）	lǎobǎixìng	common people
6. 冲	（动）	chōng	to wash away；to flush
7. 报道	（名）	bàodào	news reporting
8. 响应	（动）	xiǎngyìng	to respond
9. 忙碌	（形）	mánglù	busy
10. 宣传	（动）	xuānchuán	to publicize
11. 接收	（动）	jiēshōu	to receive；to accept
12. 主席	（名）	zhǔxí	chairman
13. 出力		chū lì	to volunteer
14. 见外		jiànwài	to regard sb. as a stranger
15. 贫困	（形）	pínkùn	poor
16. 建	（动）	jiàn	to build
17. 穷	（形）	qióng	poor
18. 中途	（名）	zhōngtú	halfway

19.	退学		tuì xué	to leave school
20.	资助	(动)	zīzhù	to aid financially; to subsidize
21.	剧团	(名)	jùtuán	troupe
22.	既……又……		jì……yòu……	both…and
23.	成果	(名)	chéngguǒ	accomplishment
24.	团体	(名)	tuántǐ	group; organization; club
25.	合唱	(名)	héchàng	chorus
26.	乐团	(名)	yuètuán	philharmonic orchestra
27.	协会	(名)	xiéhuì	association
28.	会员	(名)	huìyuán	member
29.	吸收	(动)	xīshōu	to admit
30.	义务	(名)	yìwù	volunteer
31.	献血		xiàn xiě	to donate blood
32.	街头	(名)	jiētóu	street
33.	拔河		bá hé	tug-of-war
34.	排练	(动)	páiliàn	to have a rehearsal
35.	趴下		pā xia	to lie on one's stomach
36.	助威		zhù wēi	to cheer for
37.	巧克力	(名)	qiǎokèlì	chocolate

注　释

1. **转不开身**　指忙碌的程度，忙得顾了这边顾不了那边。
2. **红十字会**　1864年8月由瑞士发起成立，以其创始人亨利·杜南的诞辰日5月8日为世界红十字日，主要进行宣传、募捐、慰问孤老病残、提供义务医疗咨询和诊断等活动，每年的活动都有一个主题。
3. **悠(yōu)着点儿**　劝说别人不要过于劳累或进行过分的举动。

练　习

(一)

一、根据课文，用上所给的词语回答下面的问题：

1. 王峰他们为什么要捐献衣物？
   (发生　冲　可怜　报道　捐献　响应)
2. 什么是希望工程？为什么有很多人为它捐款？
   (贫困　穷　买不起　退学　建　资助)
3. 为什么各种学生团体要在青年节这一天举办活动？

（宣传　吸引　组织　发展　吸收）

二、请你说说：

1. 在你们国家，人们对受灾者常提供什么形式的帮助？
2. 你周围的人对社会公益活动（如街头募捐）怎么看？你是否愿意参加这种活动？
3. 你最希望参加或组织一个什么样的学生团体？为什么？
4. 在你们国家有没有青年节这样的节日？节日那天都有什么活动？

（二）

三、用指定的词语完成下面的对话，然后用它做模仿会话练习：

1. 甲：外面下雪了。
   乙：____________________。（我说……怎么……）
2. 甲：我真不知该怎么感谢你。
   乙：____________________。（见外）
3. 甲：你怎么不让老李帮助你？
   乙：____________________。（转不开身）
4. 甲：我最近每天都开夜车写我的毕业论文。
   乙：____________________。（悠着点儿）
5. 甲：你觉得这儿的服务员怎么样？
   乙：____________________。（既……又……）

四、模拟采访：

学生互相配合，以“各报记者”身份，采访以下几位人物：

1. 一位老人把自己一生攒下的钱捐给了“希望工程”。采访这位老人；
2. 一家公司向地震灾区捐款100万元。采访这家公司的总经理；
3. 采访某学生团体的负责人。

五、讲演：

青年在社会中的作用。

补充词语

1. 受灾者	（名）	shòuzāizhě	people in an afflicted area (Ex：fire，flood victims)

2. 提供	（动）	tígōng	to supply; to offer
3. 形式	（名）	xíngshì	form
4. 公益	（名）	gōngyì	public welfare
5. 募捐		mù juān	to raise funds
6. 攒	（动）	zǎn	to save
7. 地震	（名）	dìzhèn	earthquake

补充材料

募捐箱前（小品）

马路边有一则募捐启事和一个募捐箱，几对青年男女先后来到这里。

一

男甲：嘀！要钱要到这地方来了！现在的人，真会想花招儿！（一脚踢翻募捐箱，箱里撒出一些钱来）哟嘀！真有给钱的！

女甲：真没想到你是这样的人！连起码的同情心都没有！我看咱们还是算了！（转身离去）

男甲：（拦住女甲）亲爱的！你别误会！我不是没有同情心，我以为他们是在骗人！我不是舍不得钱，街上的社会福利奖券我买了几百块钱的呢！要是你愿意，捐点儿钱算什么！亲爱的！你别误会！你别误会呀！（追下）

二

男乙：唉！这家也真够倒霉的！大冬天的，上哪儿去住哇？大家是得帮着想想办法。不过，就靠这小小的募捐箱也解决不了多大的问题。

女乙：那你说怎么办？

男乙：政府部门应该开个会帮助解决嘛。有关部门的领导应该好好研究一下，尽快拿出切实可行的办法来。

女乙：哼！说了半天，全是空话！等你的好办法拿出来，人家早冻死了！

男乙：这种事也不能太着急！钱的事不能一个人说了算，不开会研究怎么行呢？

女乙：你这个人哪！整天“研究、研究”，研究出什么来了？都是空话！当初你答应给我买金表、金戒指、金项链，到现在一样儿也没买！谁愿意和你这种说空话的人一起过日子！（气冲冲地下）

男乙：哎！你怎么说走就走哇！买金项链不是个小问题，得好好商量商量！你别急着走，咱们再商量商量！（追下）

三

男丙：人家给得起，咱也不能落后！（从钱包里掏出一大摞钱往募捐箱里一扔）怎么样？我这人够仗义的吧？

女丙：（不高兴地）你是够仗义的！你有钱，也不管认识不认识，一伸手就是几百块！花钱这么大手大脚，早晚有没钱的那一天！我可不愿意和一个败家子过一辈子！咱们还是各走各的路吧！

男丙：你看！好心没好报！哎！你别走！结婚以后让你当家还不行吗？喂！你别走哇！（追下）

口语知识（二）

1. 惯用语

惯用语是一般人所熟悉的和经常使用的比较固定的词组。它在群众中广泛流传，无论男女老少，无论文化水平的高低，都了解它，运用它。有了它，生活语言变得更加生动活泼，有了更直观、更丰富的表现力。这种语言形式具有很强的生命力。

惯用语最突出的特点就是运用形容、比喻、引申等手法，将所要表达的内容形象化、具体化，给人一种深刻的印象。通过下面所举的几个方面的例子，我们可以看出这一点。

（1）用具体的事物比喻某种人或某种现象：

①半瓶醋——比喻对知识一知半解却自我感觉良好的人。

②半边天——指妇女，暗示妇女地位的重要。

③铁饭碗——比喻无论干得好坏都不会丢掉这份工作的用人制度。

④流水帐——比喻罗列现象的、没有意思的文章或讲话。

⑤直肠子——指性格直率、说话不会拐弯儿。

⑥冷血动物——指对他人没有感情的人。

⑦木头脑袋——指人的脑袋不灵活，像木头一样。

⑧家常便饭——比喻经常发生、不足为怪的事情。

⑨鳄鱼的眼泪——指坏人假慈悲。

⑩刀子嘴，豆腐心——比喻说话厉害，但心肠软。

（2）用某种具体行为动作比喻另外一种较抽象的行为：

①乱弹琴——比喻胡闹或瞎说。

②翘尾巴——比喻骄傲自大。

③开倒车——比喻违反事物的发展方向，向后倒退。

④挖墙脚——比喻损害他人、集体或其他单位的利益。

⑤走下坡路——比喻人逐渐退步或事业逐渐衰落。

⑥脚踩两只船——比喻在对立的双方之间游移不定，也指同时与两个异性谈恋爱。

⑦大白天说梦话——比喻说不切实际或无法实现的话。

⑧胳膊肘往外拐——比喻不向着自己人而向着外人。
⑨睁一只眼闭一只眼——遇事装看不见抱一种不负责任的态度。
⑩搬起石头打自己的脚——比喻本想害人，结果害了自己。

（3）用夸张的语言对所说的话起一种强调的作用：
①笑掉牙——形容耻笑得厉害。
②跑断腿——形容办事跑了很多路，费了很大劲。
③气炸了肺——形容气愤到了极点。
④笑破肚皮——形容某一事物、言谈等特别使人发笑。
⑤把死人说活——形容非常会说话。多含贬义。
⑥吃了豹子胆——形容胆子大。
⑦一口吃成胖子——比喻一下子就获得成功。多用为否定，说明做事要一步步进行，不能急于求成。
⑧喝凉水也塞牙——形容运气特别不好，一点小事也会遇到麻烦。
⑨一锥子扎不出血来——形容性子比较慢，反应比较迟钝。
⑩跳进黄河也洗不清——比喻无论如何也洗刷不掉所蒙受的冤枉。

我们在学习和使用惯用语的时候，应该注意以下几个问题：

（1）惯用语大多是通过比喻等手法表达它的意思的，因此我们往往从字面上看不出它的真正含义。例如："咬耳朵"指两个人在说悄悄话，如果理解成咬谁的耳朵就误解了原意；"笔杆子"是指单位里最能写文章的人，而不是指铅笔的笔杆；"回老家"是指死亡而不是真的回故乡；"炒鱿鱼"是指解雇，理解成做一种菜就大错特错了。

（2）惯用语是一种固定搭配的词语，一般来说不能随意调换。但是它又比成语灵活，可以在词语中间插入其它成分，有时也可以掉换次序。例如："碰钉子"，可以说"碰了个钉子"、"碰过几次钉子"、"碰了个不软不硬的钉子"、"钉子没少碰"等等。再如："走后门"，可以说"走过几次后门"、"走走你的后门"、"这个后门走不通"等等。

（3）惯用语风趣、幽默、诙谐、生动，大多用于讽刺、批评、开玩笑或骂人，有些比较庸俗。因此，要注意惯用语使用的场合。一般来说，不适合用在严肃认真的场合。

2. 歇后语

歇后语也是一种通俗的语言形式，它是通过普通老百姓之口而传播开来的。歇后语一般是由前后两部分组成的，前半句是比喻或是隐语，后办句是对前半句的解释或说明。这就好比是一个谜语，前半句是谜面，是让人猜的，而后半句则是谜底，是真正要说的意思。像“千里送鹅毛——礼轻情义重”、“肉包子打狗——有去无回”、“做梦娶媳妇——想得倒美”等等。在一般情况下，人们只说出它的前半句，略去后半句不说，让听话人自己去琢磨、体会说话人所说的是什么意思，因此称之为“歇后语”。举例来说：当有人问你一个问题，你心里明白，可又不知用汉语怎么说的时候，你只要说出“（我是）茶壶里煮饺子——”，对方一般就会明白你要说的是“肚里有，嘴上倒不出”这个意思，这样，你就用不着再说出后半句了。如果对方不知道这个歇后语，听了以后在那儿发愣，你再把后半句说出来也不迟。

从语义上看，歇后语主要是通过比喻和谐音双关来体现其特点的。我们分别来看一下。

歇后语中运用比喻手法的占大多数。这一类歇后语，前半句是比喻，后半句是说明比喻的真正含义。请看下面这些例子：

①竹篮子打水——一场空。（比喻什么都没得到）

②兔子的尾巴——长不了。（比喻时间不会很长或很快就要结束）

③老鼠过街——人人喊打。（比喻不受欢迎）

④老虎的屁股——摸不得。（比喻对过于厉害的人不敢去惹或是不接受别人的批评）

⑤狗拿耗子——多管闲事。（讽刺爱管闲事的人）

⑥黄鼠狼给鸡拜年——没安好心。（提醒人不要被坏人的假象蒙蔽）

⑦铁公鸡——一毛不拔。（讽刺小气、不愿助人的人）

⑧马尾拴豆腐——提不起来。（不好意思或不值得提这件事）

⑨奶妈抱孩子——是别人的。（指与己无关）

⑩老王卖瓜——自卖自夸。（讽刺自夸的人）

第二种歇后语是在后半句的解释中，利用谐音字起到一语双关的作用。也就是说，后半句从字面上看，解释的是表面的意思，但暗中却隐藏着这个歇后语的真正意思。我们来看一下例句：

①外甥打灯笼——照舅。（照旧）

②孔夫子搬家——净是书。（输）

③飞机上挂暖壶——高水瓶。（高水平）

④电线杆上插鸡毛——好大的掸子。（好大的胆子）

⑤烂棉花——没法弹。（没法谈）

歇后语在使用中，有以下几个方面应当注意：

（1）歇后语在语言特点上同惯用语一样，也具有生动、活泼、诙谐、幽默等特征，正确地使用会使你的语言变得有趣，但是在同一时间内说得太多，会给人一种油滑、庸俗的感觉。

（2）歇后语适合于在轻松、随意、欢快、活泼的场合使用，若在严肃、庄重的场合下使用过多的歇后语，会给人一种太随便、不重视的印象。

（3）歇后语大多用于开玩笑、讽刺、批评甚至骂人。有些语言是不礼貌、不尊重他人、甚至是不文雅的。不恰当地使用会使人反感。

练　习

一、试着猜一猜下列词语的意思，然后通过工具书说出它们的正确含义：

唱反调　炒冷饭　穿小鞋　戴高帽子　大鱼吃小鱼

好说话　红眼病　及时雨　喝西北风　杀鸡给猴看

三只手　开夜车　扣帽子　打小算盘　碰一鼻子灰

露馅儿　爬格子　老掉牙　猴年马月　赶鸭子上架

交学费　拿手戏　雷声大，雨点小　求爷爷，告奶奶

瞎猫碰死耗子　鲜花插在牛粪上

二、说出你学过的歇后语，并解释它们的意思。

口语常用语（二）

祝贺用语

在日常生活中，每逢节日或喜事，人们总会向亲朋好友表达他们的祝贺，这些祝辞经过长时间的使用，大部分已经形成了固定的表达方式。

（1）节日的祝贺

中国人最讲究的是过春节。春节到来的时候，人们总要互相祝福。比较传统的语言是：

①恭喜恭喜！

②恭贺新禧！

③恭喜发财！

④新春大吉！

⑤吉祥如意！

越来越多的人喜欢用现代祝福语言，简洁明了：

①过年好！

②新年好！

③新年快乐！

④祝你春节愉快！

⑤祝你万事如意！

春节前，许多单位的领导为感谢大家一年来的努力，为大家举行庆祝会。在会上，领导一般都要讲几句话，给大家拜年。这种讲话中往往使用一种比较正式的祝贺语言：

各位来宾、各位同事、各位朋友：

在这新春佳节到来之际，我代表我们公司的几位领导向全体员工及各位来宾致以节日的祝贺！向大家表示亲切的慰问！祝大家在新的一年里，身体健康，工作顺利，阖家欢乐，心想事成，万事如意！

让我们举起酒杯，为公司的发展，为大家的幸福，为每一个人的快乐，干杯！

（2）生日的祝贺

向别人祝贺生日，根据不同的对象有不同的祝贺语言，最常见的是下面这些祝词：

①祝你生日快乐！（适用于所有人）

②祝您福如东海，寿比南山。（适用于老人）

③祝您健康长寿！（适用于老人）

④祝你越活越年轻！（适用于成年人）

⑤祝你越长越漂亮！（适用于少女）

（3）婚礼上的祝贺

结婚是人生一件大事，人的一生也许只有一次。婚礼上的祝福就最为人们看重。对结婚新人的祝福，有很多不同的说法。比较正式的祝词有：

①恭贺新婚。

②恭喜你们喜结良缘。

③祝你们新婚快乐。

④祝贺你们的美满结合。

⑤有情人终成眷属。

⑥双喜临门。

在婚礼上，人们往往向新郎新娘表达自己对他们未来的美好祝愿：

①祝你们夫妻恩爱，白头偕老。

②希望你们早生贵子！

③祝你们的家庭幸福美满！

④祝新郎新娘生活甜甜蜜蜜，和和美美！

⑤愿你们互敬互爱，做一对模范夫妻。

⑥希望你们比翼齐飞，爱情事业双丰收！

在婚礼上，人们常常对新郎新娘给予赞美之词：

①看他们郎才女貌，多般配呀！

②新郎真有好福气，找了个这么漂亮的姑娘。

③如今像新郎这样的好小伙子还真挺难找的。

④真是天作之合。

⑤多令人羡慕啊！

⑥要是我儿子能找这么一位姑娘该多好哇！

朋友之间的祝福就显得随便亲热多了：

①大喜呀！恭喜你们啦！
②祝福你们，愿你们相爱到老。
③快给我们发喜糖啊！
④新郎官，你可不许欺负我们的新娘子。
⑤介绍一下恋爱经过。
⑥你们到底谁追谁呀？
⑦什么时候抱儿子啊？

（4）事业上的祝贺

事业是人一生中的大事。当你刚刚走上工作岗位时，亲友们往往给你送来美好的祝愿，为你在事业上的成功加油。这方面的祝词有：
①祝你工作顺利！
②祝你前程远大，一帆风顺！
③祝你马到成功！
④祝你鹏程万里！
⑤祝你早日高升！
⑥祝你事业有成！

当你在事业上获得成功，你会得到亲友们的进一步的祝贺：
①祝贺你在事业上取得成功！
②祝贺你在研究方面取得令人瞩目的进展！
③祝贺你晋升为部门主管！
④祝你更上一层楼。
⑤祝你取得更大的成绩。

（5）酒会上的祝酒词

在酒会上的祝词称为祝酒词，祝酒词的内容是根据宴会的主题而决定的。除了上述主题明确的宴会外，有些一般性的宴会或者朋友间的聚会，人们也要想出一些有意义的祝酒词来活跃宴会的气氛。例如：
①来，为咱们的合作愉快干杯！
②为咱们的聚会干杯！
③祝咱们大家都平平安安地活着。
④祝你们都找一个好老婆。

第十一课　谁不想让自己的孩子上大学呀？

※※※※※※※※※※※※※※※※※※※※※※※※※※※※※※※※※※※※※※※

热身话题：

1. 你做过家庭教师吗？你为什么要做（或者不愿做）一个家庭教师？
2. 在你们国家，中小学生学习负担重吗？每天要学习多长时间？

※※※※※※※※※※※※※※※※※※※※※※※※※※※※※※※※※※※※※※※

玛丽去商店买东西，发现街头有不少人围住几个大学生模样的人在谈着什么。她好奇地挤进人群，竟意外地发现这里有和王峰同宿舍的历史系研究生李阳……

玛　丽：李阳，你们在这儿干吗呢？

李　阳：今天没课，帮着“勤工助学中心”介绍家教呢。（说着，用手一指身子下面写着“家教介绍”的牌子）

玛　丽：什么是“家教”？

李　阳：就是到人家里去做家庭教师啊，主要是给中小学生辅导。

玛　丽：都辅导什么呀？

李　阳：英语啦、数学啦什么的……对不起，稍等一下。（对身旁一位妇女）请问，您想找个家教吗？

妇　女：是啊，孩子他爸一直说给孩子找个家教，可又不知到哪儿去找，这下好了。你们都是大学生吧？

李　阳：不光是大学生，还有研究生呢。您看，这是我们学校的证明，这是我的学生证。

妇　女：这我就放心了。我的孩子快上初中了，他的英语成绩一直不好，我和孩子他爸又都不懂英语，所以想请你们帮个忙，教教他怎么学，看看他到底有什么问题。

李　阳：行啊，我们这里有不少学生都是英语系的。您要是决定了，请填一下儿这张表，您有什么要求，都可以写在上面，我们会尽力满足的。

妇　女：（看了玛丽一眼，犹豫地问李阳）这位外国小姐也是来作家教的吗？

李　阳：（大笑）如果她愿意，当然可以喽。对不起，开个玩笑，她是我们学校的外国留学生，我的朋友。

妇　女：（对玛丽）真不好意思，让您见笑了。

玛　丽：没关系。大姐，我正想问问您呢。像您这样给孩子请家教的多吗？

妇　女：可不少。我们楼里有孩子的几家，差不多都请了，有的还请了两三个呢。我和孩子他爸文化水平都不高，孩子的学习没人指导哪行啊！

玛　丽：孩子的学校里不是有老师指导吗？

妇　女：有的是，可一个班四十几个学生，老师哪照顾得过来呀？还是找个家教，一对一地辅导好。

玛　丽：请家教的费用贵吗？

妇　女：一周辅导一两次，一般家庭还是负担得起的。再说，现在一家就这么一个孩子，多少钱也得花呀，为了孩子嘛！

玛　丽：我听说现在中小学生学习挺辛苦的，每天放学以后还要做很多家庭作业，再请人给他辅导，不是增加孩子的学习负担了吗？

妇　女：话是这么说，可有什么办法呢？现在考初中竞争很厉害，听说平均每门课要考九十七八分才能考上一所好中学。

玛　丽：考中学就这么紧张，那考大学该怎么办哪？

妇　女：那就更甭提了！我们现在也想不了那么多，走一步算一步吧，到时候再说。有时候看孩子写作业，写着写着就睡着了，我这心里也怪心疼的，可还是得咬着牙把他叫起来接着写，老师留的作业不完成哪行？

玛　丽：想不到你们上小学的孩子就这么累。我们那儿的小学生放学回到家就没什么作业了，学校的学习也很轻松，老师常常带孩子们参观、做游戏，我记得我小时候就挺爱上学的。

李　阳：我们有些地方和你们不太一样。那些作父母的，谁不想让自己的孩子上大学呀？望子成龙嘛！可是大学招生的人数比想上大学的人数少得多，不使劲哪行啊！考上大学，全家光彩；考不上大学，连家长都觉得丢脸。

玛　丽：这样对孩子的压力实在太大了。青少年正是长身体的时候，整天埋在书堆里可没好处。

妇　女：要说呀，这道理谁都明白，可一看人家都这么做，咱也不能落后哇！就这么你比我，我比你的，越比越忙，苦的可就是孩子了。哟！光顾说话了，这表还没填呢。（低头填了表上的内容，交给李阳）你们找到人以后，就打这个电话和我联系吧，再见！

李　阳：（望着妇女的背影）这些当父母的可真不容易呀！很多教育家都在呼吁减轻学生的学习负担，政府也做过一些规定，可是……我真希望我们国家在教育方面能改革改革，多给孩子们一些玩儿的时间。

玛　丽：到那时候，你们不是要“失业”了吗？

李　阳：可对社会来说是好事啊！其实，我们很多大学生作家教，并不完全是为了钱，而是为了多了解社会，和各种各样的人打交道。咱们学校有个“勤工助学中心”，专门帮大学生、研究生联系各种工作。我今年寒假就在一个计算机公司工作了一个多月，收获还真不小。

玛　丽：真的吗？下次再有这样的机会，别忘了叫上我。我刚刚学会了一种新的计算机汉字输入法，一小时能打两千个汉字呢。

李　阳：真的？快赶上我了。

玛　丽：啊？我还是不如你呀！

词　　语

1.	模样	（名）	múyàng	appearance; look
2.	竟	（副）	jìng	unexpectedly
3.	意外	（形）	yìwài	unexpected
4.	证明	（名）	zhèngmíng	certificate
5.	初中	（名）	chūzhōng	junior middle school
6.	尽力		jìn lì	to try one's best
7.	满足	（动）	mǎnzú	to meet (the needs or demands)
8.	犹豫	（形）	yóuyù	to hesitate
9.	见笑		jiànxiào	to laugh at (me or us)
10.	指导	（动）	zhǐdǎo	to guide
11.	负担	（动、名）	fùdān	to bear; burden
12.	平均	（形）	píngjūn	average
13.	心疼	（动）	xīnténg	(of children) love dearly
14.	放学		fàng xué	classes are over
15.	游戏	（名）	yóuxì	game
16.	望子成龙		wàngzǐchénglóng	hope for the best future for your children
17.	招生		zhāo shēng	to recruit students
18.	使劲		shǐ jìn	to put in more effort
19.	光彩	（形）	guāngcǎi	honourable
20.	压力	（名）	yālì	pressure
21.	埋	（动）	mái	to bury
22.	落后	（形）	luòhòu	to fall behind
23.	背影	（名）	bèiyǐng	a view of sb.'s back
24.	呼吁	（动）	hūyù	to appeal; to urge
25.	减轻	（动）	jiǎnqīng	to lighten
26.	改革	（动）	gǎigé	to reform
27.	失业		shī yè	to lose one's job
28.	打交道		dǎ jiāodao	to have dealings with

注　释

1. **勤(qín)工助学**　大学生利用业余时间为社会做一些工作，获取适当报酬以提高生活水平。
2. **孩子（他）爸**　中国一些地区（主要在农村）有子女的妇女对自己丈夫的称呼。
3. **走一步算一步**　没有长期打算，只考虑眼前的事。

练　习

（一）

一、根据课文回答下面的问题：

1. 很多作父母的为什么要给孩子请家庭教师？
2. 谈谈中国中小学学生的学习负担。
3. 大学生作家庭教师，除了挣钱，还有什么目的？
4. “勤工助学中心”的主要任务是什么？

二、下面是课文中那位妇女的几句话，请朗读这些句子，并通过这些话分析她找家庭教师的心态：

1. 你们都是大学生吧？
2. 这我就放心了。
3. 我们楼里有孩子的几家，差不多都请了。
4. 现在一家就这么一个孩子，多少钱也得花呀，为了孩子嘛！
5. 话是这么说，可有什么办法呢？
6. 我们现在也想不了那么多，走一步算一步吧，到时候再说。
7. 要说呀，这道理谁都明白，可一看人家都这么做，咱也不能落后哇！就这么你比我，我比你的，越比越忙，苦的可就是孩子了。

三、请你说说：

1. 如果你是一个中国孩子的家长，你又没有时间或没有能力辅导自己的孩子，你会为孩子请家庭教师吗？为什么？
2. 你了解多少有关中国教育方面的情况？（比如实行几年义务教育；小学、中学、大学和研究生的学制；各种专科学校；有关成人教育的学校以及学费等等。)

(二)

四、在回答下列问题时，注意正确使用问句中划线部分的词语：

1. 当一个过路人遇到困难时，你会尽力帮助他吗？
2. 在什么情况下，你会劝你的朋友不要犹豫？
3. 在你的国家考大学竞争得厉害吗？
4. 你平均每天学习多少小时？
5. 什么东西坏了你会感到心疼？
6. 你觉得现在学习的压力大不大？
7. 如果你现在有机会在报上发表一篇文章，你将向社会呼吁什么？

五、在什么情景下，你会使用下列语句？试用这些语句说话：

1. 稍等一下。
2. 这我就放心了。
3. 让您见笑了。
4. 多少钱也得花呀！
5. 话是这么说，可有什么办法呢？
6. 那就更甭提了。
7. 走一步算一步吧。
8. 到时候再说。

六、读下面的小小说，说说孩子为什么做那样的梦？

总 统 梦

作者 谌容

"胖胖，快起来！"

"天还没亮呢——"

"你昨晚保证了，早晨起来把作业做完哪！"

"嗯——嗯，人家刚做了个梦……"

"别说梦话了，快穿衣服，看你爸打你！"

"妈，我真的做了个梦嘛！"

"好，好，好孩子，听妈的话，快着，抬胳膊！"
"我梦见呀，我当了总统……"
"算术不及格，还当总统呢！伸腿儿！"
"不骗您，我还下了一道命令呢！我……"
"伸脚！"
"管学校的大臣跪在我面前，我坐在宝座上，可威风啦！我命令：给老师的孩子作业留得多多的！"

七、成段表达：

1. 你认为你们国家的教育制度中哪个方面应该改革？
2. 举例说说你们国家在教育方面的某一成功之处。

补充词语

1. 学制	（名）	xuézhì	educational system
2. 专科	（名）	zhuānkē	professional training
3. 成人	（名）	chéngrén	adult
4. 胳膊	（名）	gēbo	arm
5. 总统	（名）	zǒngtǒng	president
6. 算术	（名）	suànshù	arithmetic
7. 及格	（动）	jígé	to pass the exam
8. 伸	（动）	shēn	to stretch
9. 命令	（动）	mìnglìng	to order
10. 大臣	（名）	dàchén	minister (of a monarchy)
11. 跪	（动）	guì	to kneel
12. 威风	（形）	wēifēng	majestic-looking

补充材料

可怜天下父母心（短剧）

作者　李杨

人物：儿子、父、母。

背景：台中央一张桌子，儿子全神贯注地看一本厚书。父母掂着脚从两侧或分别或同时上下场，生怕打扰儿子看书。

一

儿子：（突然离开桌子，拉开架式，做武功动作，嘶声高喊）呀——看刀！（听到有动静，又坐回原处看书。）

父：（从右侧上）我儿子要考试了，我得给他营养营养。好儿子，就耽误一秒钟，吃下这花粉酥。（从右侧下）

母：（从左侧上）我儿子要考试了，我得给他营养营养。乖儿子，就耽误一秒钟，吃下这人参、田七、当归洗发精……什么什么？不对不对！是人参、田七、当归蜂王精。

（儿子头也不抬，吃下药，喝下蜂王精，继续全神贯注地看书）

二

（父母又同时从两侧上）

父：（手拿一把大蒲扇）好儿子，看你热的，一头汗，小心捂着了，爸给你扇扇啊！

母：（手拿一件大外套）乖儿子，看你冷得直哆嗦，小心着凉了，妈给你加件衣服啊！

（儿子头也不抬，只顾看书）

父：（隔着儿子，冲着母亲）冷什么冷，天这么热！（反复说，语速越来越快）

母：（隔着儿子，冲着父亲）热什么热，风这么大！（反复说，语速越来越快）

儿子：别动了！别吵了！就看完了，就看完了……

三

（父母走后，儿子见没人，又伸胳膊伸腿，比划武功动作）

父：（从右侧上，端着盘子）宝贝儿子，快吃块点心吧，别饿着啊！

母：（从左侧上，端着杯子）宝贝儿子，快喝点儿茶吧，别渴着啊！

（儿子头也不抬，快速翻阅，父母小心翼翼，反复叨念，然后分别下）

儿子：真烦人！我不渴也不饿！

四

儿子：（低着头，大声喊）妈——，上边一个草字头，下边一个“非”字，念什么？

母：（急忙抱着大字典上）别动！别动！妈给你查，念 fēi，“裴多菲”的“菲”，“菲芳”的“菲”……（下）

（儿子低头，根本没听，全力翻书）

儿子：（低着头，大声喊）爸——，倒挂金钟是什么花？

父：（急忙抱着大字典上）别急！别急！爸替你找。（下）

（儿子低头，根本没听，全力翻书）

五

母：（悄悄地从左侧上，生怕打扰儿子）我呀，得好好看看，儿子今天复习效果怎么样。（用手摸摸儿子看过的这一边，然后冲观众比画）哟！这么厚了，效果不错，效果真的不错。（点头称好）

父：（悄悄地从右侧上，生怕打扰儿子）我呀，得好好看看，儿子今天复习效果怎么样。（用手摸摸儿子未看过的这一边，然后冲观众比画）哟！这么薄了，效果不错，效果真的不错。（点头称好）

六

（父母各端着茶点同时从两侧上）

父：该喝第二遍水了……

母：该吃第二块点心了……

（儿子正合着书，趴在桌子上睡着了。父母伸头看封面，是一本武侠小说，他们的肺都气炸了）

（父母隔着儿子，大喊大吵，相互指责）

父：都是你宠的！什么时候了，还看武侠小说。

母：都是你惯的！什么时候了，还看武侠小说。

父母：都是你！都是你！

儿子：呀——上武当山喽！看刀！

第十二课　你想要个孩子吗？

※※

热身话题：

1．结婚以后你想要孩子吗？打算早要还是晚要？为什么？

2．孩子的到来会给你带来哪些乐趣和烦恼？

※※

玛丽和大卫在一次电视台的节目中当了一回观众……

主持人：朋友们，晚上好，欢迎大家参加我们电视台《说说心里话》节目。今天，我们请来了几位嘉宾，他们将就“你想要个孩子吗”这个题目，说说自己的心里话。（对王女士）在今天到场的嘉宾中，只有您是有子女的，您能给我们谈谈有孩子的感觉吗？

王女士：（30岁，工程师）问我的感觉呀？我只想说：感觉好极了。从生下我们那个宝贝女儿的那天起，我的生活就和以前不一样了。为了孩子，我得换个轻松的工作；娱乐嘛，也只得丢在一边了，我总不能把孩子丢在家里自己去玩儿吧；刚换的床单就让她尿湿了，我得洗；刚睡着就让她哭醒了，我又得哄她。一天到晚围着孩子转：冬天怕她冷，夏天怕她热；她不会翻身时我着急，等她会翻身了，我又怕她翻到地上；她不会说话时我着急，可等她会说话了，就一天到晚缠着我问这问那，还让我给她讲重复了一百遍的故事。可是当我看着我们的小宝贝一天天地长大，会笑、会爬，直到会喊出第一声“妈妈”，那种幸福的感觉真是没法用语言表达，没当过妈妈的人是体会不到的。现在，每当我下班后去幼儿园接女儿，她都会像小蝴蝶似地飞过来亲我。这时候哇，我这一天遇到的烦恼哇、累呀就全都没了。我爱我的“小麻烦”，她会给家庭带来快乐、幸福，而这种感觉是用钱买不到的，也是什么东西都代替不了的。（观众鼓掌）

主持人：谢谢，谢谢。看来王女士对孩子的感情很深，把我们的观众都感动了。听了你的话，我都想要个孩子了。那么张先生，您的意见呢？

张先生：（26岁，公司职员）我已经结婚两年了，到现在为止我还没想过要孩子。要孩子有什么好处哇？很多人都说：孩子会给家庭带来快乐。可是带来的烦恼也不少哇！刚才王女士就说到一些。还有呢，孩子长大以后上学、工作、结婚，哪一样不让作父母的操心？现在一家只能生一个，父母整天惦记着孩子，怕病了，怕伤着，怕受人欺负，怕学坏了……有的家庭为了孩子整天吵架，这事，想起来就头疼。我是这么想的：宁可生活中少一些快乐，也别添那么多的烦恼。你们别以为我这个人不懂感情，其实我对自己的家里人、朋友都挺好的。不想要孩子也不能说就没有人情味。

主持人：张先生的想法很有意思，不管怎么说，也代表了一部分人的想法。李先生，您也是这么想的吗？

李先生：（23岁，工人）在这个问题上，我的回答很简单：要，而且早要。人长大了要结婚，结了婚要生孩子，这有什么要讨论的？几千年不都是这么过来的？要是全不生孩子，咱们今天还能坐到一块儿聊天儿？既然要生，那就趁年轻早点儿生，反正就生那么一个，早生完早省心，也不会耽误你搞工作。到退休的时候，孩子也成家了，用不着你再为他找工作呀、结婚呀发愁了，你那晚年不就能过得舒服一点儿吗？不生孩子你不觉得这辈子缺点儿什么吗？

赵小姐：（26 岁，编辑）对不起，我的看法跟您不太一样。我也想要孩子，但并不是因为大家都要，所以我也得要。这可不是随大溜的事。我想要孩子，一是因为我喜欢孩子，二是因为我有这么一种想法：一个女人作了母亲就跟作姑娘时不一样了，你在各个方面都会对自己有个要求，因为孩子时时刻刻都在学你。不过我也不反对那些不愿生孩子的人，人跟人不一样，人家不想生就不生呗。中国人口这么多，少生几个孩子还是好事呢。不过有一条我挺担心：现在不想生孩子的大多是文化层次比较高的人，这样下去，会不会降低咱们国家的全民素质啊？

主持人：赵小姐已经把生孩子和全民素质联系在一起了，这样，生孩子就不完全是个人的事了。那么，我们问一问最后一位嘉宾，也是今天最年轻的嘉宾——孙小姐，听说你还没有结婚，你对这个问题怎么看呢？

孙小姐：（22 岁，护士）我正准备结婚。我已经跟我们那位说了：坚决不要孩子，要是他实在想要，自己去领养一个，反正我不生。（众笑）生孩子的情景太可怕了，我见过，那可真是受罪。听着那些产妇的叫声，我就下决心这辈子不生孩子！

主持人：你的先生没有什么意见吗？

孙小姐：我们那位现在倒没表示反对，谁知结婚以后怎么样呢？其实如果两个人的感情好，没有孩子照样能幸福。

主持人：什么是幸福？真是“仁者见仁，智者见智。”好，谢谢今天的五位嘉宾对我们说出了自己的心里话，不知在场的观众有什么想法，我们现场采访一下……

词　　语

1. 主持人	（名）	zhǔchírén	host
2. 就	（介）	jiù	on; with regarding to
3. 宝贝	（名）	bǎobèi	baby; darling
4. 床单	（名）	chuángdān	bed sheet
5. 尿	（动）	niào	to urinate
6. 湿	（形）	shī	wet
7. 哄	（动）	hǒng	to coax; to humour
8. 缠	（动）	chán	to pester

9. 幼儿园	（名）	yòu'éryuán	kindergarten
10. 蝴蝶	（名）	húdié	butterfly
11. 亲	（动）	qīn	to kiss
12. 代替	（动）	dàitì	to take the place of
13. 鼓掌		gǔ zhǎng	to applaud
14. 到……为止		dào……wéizhǐ	till
15. 惦记	（动）	diànjì	to be concerned about
16. 伤	（动）	shāng	to be hurt
17. 欺负	（动）	qīfu	to bully
18. 吵架		chǎo jià	to quarrel
19. 添	（动）	tiān	to add
20. 人情味	（名）	rénqíng wèir	human feelings；sympathy
21. 趁	（介）	chèn	while
22. 省心		shěng xīn	to save worry
23. 成家		chéng jiā	(of a man) get married
24. 发愁		fā chóu	to worry
25. 晚年	（名）	wǎnnián	old age
26. 层次	（名）	céngcì	grade；class
27. 全民	（名）	quánmín	the whole people
28. 坚决	（形）	jiānjué	firm；resolutely
29. 领养	（动）	lǐngyǎng	to adopt a (child)
30. 受罪		shòu zuì	to endure pain
31. 产妇	（名）	chǎnfù	woman about to give birth
32. 下决心		xià juéxīn	to make up one's mind
33. 现场	（名）	xiànchǎng	on-the-spot

注　　释

1. **随大溜**（liù）　自己没有主意，跟着别人走。
2. **我们那位**　别人面前称呼自己的爱人或未婚夫（妻），是一种较随意的称呼。
3. **仁**（rén）**者见仁，智**（zhì）**者见智**　指对同一个问题，各人观察的角度不同，见解也不一样。

练　　习

（一）

一、下面这些话，是课文中哪位嘉宾说的？请根据课文内容从以下几个方面说一说：

①他（她）是想要孩子的还是不想要孩子的？

②他（她）为什么这么说？

③你对这些话的看法。

1．宁可生活中少一些快乐，也别添那么多的烦恼。

2．如果两个人的感情好，没有孩子照样能幸福。

3．中国人口这么多，少生几个孩子还是好事呢。

4．（孩子）会给家庭带来快乐、幸福，而这种感觉是用钱买不到的，也是什么东西都代替不了的。

5．反正就生那么一个，早生完早省心。

6．不想要孩子也不能说就没有人情味。

二、请你说说：

1．怎样看待子女给父母带来的苦与乐？

2．母亲在抚养子女时，总是"以苦为乐"，你对此怎样理解？

3．现在一些年轻夫妇不想要孩子，你对这一现象怎么看？

4．如果想要孩子，你觉得什么时候要合适？

5．如果你们夫妇在生孩子的问题上意见不统一怎么办？

（二）

三、注意下列例句中划线部分词语的用法，并将所给的词语扩展成句：

1．例：他们将就"你想要个孩子吗"这个题目，说说自己的心里话。

①就这个话题

②就宿舍管理问题

③就这些现象

2．到现在为止我还没想过要孩子。

①到目前为止

②到月底为止

③到今天为止

3．趁年轻早点儿生。

①趁天还没黑

②趁大家都在

③趁人不注意

四、回答下列问题，用上下面句子中划线部分的词语：

1．谈谈来中国以后，你最惦记的人或事。

2. 在你看来，什么是受罪的事？

五、叙述：

现在电视台主持人现场采访到玛丽和大卫，请你替他们回答："你想要个孩子吗？"

六、辩论：

1. 生养孩子不完全是个人的事。
2. 有了孩子快乐多于烦恼。

七、读下面的短文，并加入到他们的讨论中：

甲、乙、丙三人在一起讨论"什么是幸福"。

甲说："幸福就是当你工作了一天之后，回到温暖的家，洗一个痛快的澡，吃上可口的饭菜，然后和温柔贤慧的妻子躺在床上一起看电视。"

乙说："你那种幸福的感受已经是过时的了。现代人的幸福就是在出差的时候，遇到一个热情美丽的姑娘，和她共同度过一段浪漫的日子，然后友好地分手。"

丙说："你们的幸福观都太理想化了，真正的幸福是：有警察半夜来抓你，刚要把你带走又发现抓错了！"

补充词语

1. 抚养	（动）	fǔyǎng	to bring up
2. 目前	（名）	mùqián	at present
3. 温暖	（形）	wēnnuǎn	warm
4. 可口	（形）	kěkǒu	delicious
5. 过时		guò shí	out-of-date
6. 度过		dùguò	to pass (a period of time)

第十三课　我们的城市生活还缺少点儿什么呢?

※※

热身话题:

1. 你喜欢自己目前居住的城市吗?为什么?
2. 你居住的城市在哪些方面存在问题?

※※

玛丽和安娜在收看电视里的一个专题节目，这个节目的主持人正在街头采访市民……

主持人：各位观众，这里是本市最繁华的街道，从我身后这些新建的商厦你们可以看出：我们这座城市比过去有了惊人的变化，随着城市经济的发展，市民生活水平比过去有了很大的提高。但是当你们感觉到这些变化的时候，是不是觉得我们的城市生活中还缺少点儿什么呢？带着这个问题，我们今天对市民进行现场采访。

（一位市民从不远处走来，主持人迎了上去

主持人：请问，您是干什么工作的？

市民甲：我在机关工作。

主持人：您能不能告诉我们的电视观众，您觉得现在我们的城市生活中缺少点儿什么？

市民甲：这个嘛……大家的生活都挺不错的，衣食住行都没什么太大的问题，要说缺少点儿什么……我觉得人和人之间缺少点儿平和的气氛。现在城里人的生活节奏比以前快多了，工作上的压力也大了，人们的脾气不知怎么也大起来了。咱不说别的，就说吵架吧，是不是比以前多了？买东西的和卖东西的吵；骑车的和开车的吵；坐车的和坐车的吵；外面吵完了回到家里还吵。您说这条街上，哪天没有吵架的？其实也没什么大不了的，还不就是在单位跟人闹些别扭，心里有气回家冲家里人撒，要不就冲街上不认识的人撒。（笑）人哪，什么事都得想开点儿，快快乐乐地过日子比什么都强。要是人和人说话的时候多一些幽默，多一些理解，什么问题都好解决了，您说是不？

主持人：您说得非常好，从您的话里我能感觉到您就是一个幽默的、能够理解别人的人。谢谢。（走向市民乙）请问，您认为现在咱们的城市生活中还缺少些什么呢？

市民乙：要我说呀，咱们这城市里，楼房是越盖越多，可绿地是越来越少了！就拿我们这一片儿来说吧，有多少商店、多少饭馆哪？都数不过来了。可绿地呢？连个小小的街心公园都没有。原来有，就在那儿，现在成了饭店了，弄得老人们没地方休息、孩子们没地方玩儿。你盖饭店、建公司咱不反对，可也得适当地规划一下是吧？您看现在，一抬头，四周都是高楼大厦，咱们在这楼群里生活，说句不好听的，跟住在井里似的。

主持人：您的比喻很生动，是该解决这方面的问题了。谢谢您。（对站在一边围观的一个人）您能给我们说说吗？

外地人：（局促不安地）我？我是外地人。

主持人：那更好了。给我们的城市提一些意见吧？

外地人：我能提出啥意见呢？那个什么……我就说一条吧，希望你们大城市里的人对我们外地来的和善一点儿。我们呢，没见过啥大世面，你们这里的好些个规定我们也不懂。可有些人不给我们讲清楚，光知道骂呀，罚呀，弄得我们不知怎么办才好，把我们对这里的好印象全都破坏了。那什么……我就说这么多吧，说得不对您可别笑话。

主持人：您说得很好，在这里，我代表我们的市民对您和所有受过不公正待遇的外地人表示歉意。非常感谢您的批评。

外地人：您可别客气，说得我都不好意思了。

主持人：再见。（走向一位治安管理员）您好，您能从您工作的角度谈谈我们的城市生活中还缺少些什么吗？

管理员：缺的太多啦！有些人一点儿法制观念都没有，您看看马路上这些个车，到处乱停，连行人走道的地方都给占了；再看那些往街上乱扔东西的，虽说见一个罚一个，还是有扔的。我看哪，还是罚得轻！您看人家新加坡，罚得多狠！人家那街道干净的！咱们要是也像人家那样，重重地罚，看谁还敢这么做！

主持人：我们每一个人的法制观念都需要加强。不过，光罚也不是办法，还得多进行法制教育，您说呢？

管理员：那是，那是，我刚才说的也是气话。瞧，那儿又有一个乱扔东西的，我得过去说说。您忙您的吧。（转身离去）

主持人：好了，各位观众，我们的时间就要到了，今天就采访到这里。不知您通过我们的采访，得到哪些启发，欢迎您常和我们联系。我们也希望您想一想，我们的城市生活还缺少点儿什么。

安　娜：（一边关电视一边问玛丽）哎，你说咱们现在最缺少的是什么？

玛　丽：我看哪，是时间！明天有考试，赶快复习吧，你！

词　　语

1. 缺少	（动）	quēshǎo	to lack; to be short of
2. 收看	（动）	shōukàn	to watch (TV etc.)
3. 专题	（名）	zhuāntí	special subject or topic
4. 市民	（名）	shìmín	residents of a city
5. 繁华	（形）	fánhuá	busy; flourishing
6. 商厦	（名）	shāngshà	department store
7. 惊人	（形）	jīngrén	amazing
8. 迎	（动）	yíng	to go to meet

9. 平和	（形）	pínghé	gentle; mild; placid
10. 节奏	（名）	jiézòu	complicated or fast-paced (life, work, etc.)
11. 闹别扭		nào bièniu	to be at odds
12. 撒（气）	（动）	sā(qì)	to vent one's anger or ill temper
13. 绿地	（名）	lǜdì	grass
14. 街心公园	（名）	jiēxīngōngyuán	public park
15. 规划	（动）	guīhuà	to plan; to programme
16. 井	（名）	jǐng	well
17. 比喻	（名、动）	bǐyù	metaphor; analogy; to be likend to sth.
18. 生动	（形）	shēngdòng	lively
19. 围观	（动）	wéiguān	to surround and watch
20. 局促不安		júcù bù'ān	ill at ease
21. 啥	（代）	shá	what
22. 和善	（形）	héshàn	kind and gentle; amiable
23. 世面	（名）	shìmiàn	various aspects of world
24. 破坏	（动）	pòhuài	to destroy
25. 公正	（形）	gōngzhèng	just; fair
26. 待遇	（名）	dàiyù	treatment
27. 歉意	（名）	qiànyì	apology
28. 治安	（名）	zhì'ān	public order or security
29. 角度	（名）	jiǎodù	point of view; perspective
30. 法制	（名）	fǎzhì	rule; law
31. 占	（动）	zhàn	to occupy
32. 狠	（形）	hěn	firm; resolute
33. 加强	（动）	jiāqiáng	to strengthen
34. 气话	（名）	qìhuà	words venting one's anger

注　　释

1. **衣食住行**　穿衣、吃饭、居住、交通等问题是人们生活中的几件大事，在这里，“衣食住行”代表了人们的日常生活。
2. **没什么大不了的**　对发生的事不太看重，认为不重要、不要紧、劝人不必担心。
3. **想开点儿**　不要把一些令人不愉快的事看得过重，多往其它愉快的事情上想想。
4. **新加坡**（Singapore）　东南亚的一个国家。

练　　习

（一）

一、用正确的语调读下面的句子，并根据这些话中提出的问题，说说自己的理解或感受：

1. 人哪，什么事都得想开点儿，快快乐乐地过日子比什么都强。
2. 要是人和人说话的时候多一些幽默，多一些理解，什么问题都好解决了。
3. 你盖饭店、建公司咱不反对，可也得适当地规划一下是吧？
4. 咱们在这楼群里生活，说句不好听的，跟住在井里似的。
5. 希望你们大城市里的人对我们外地来的和善一点儿。
6. 咱们要是也像人家那样，重重地罚，看谁还敢这么做！

二、根据课文，从提示的几个方面回答下面的问题：

1. 为什么现在吵架现象多了？说说原因。
   （生活节奏　压力　脾气　没什么大不了的　闹别扭　撒气）
2. 为什么现在城市里的绿地越来越少？
   （楼房　盖　建　街心公园　饭店　公司　规划）
3. 外地人对城里人的主要意见是什么？
   （和善　见世面　规矩　骂　罚　不知怎么办才好　印象　破坏）
4. 谈谈一些人缺少法制观念的具体例子。
   （马路　停车　占　乱扔　罚　还是）

三、请你说说：

1. 你见过街头吵架的吗？说说你的印象。
2. 盖楼与保持绿地的矛盾有没有可能解决？
3. 你的国家有本地人不尊重外地人的情况吗？
4. 罚款对解决缺少公共道德的问题有多大帮助？
5. 除了课文中谈到的几个方面，你居住的城市生活中还缺少些什么？

（二）

四、替换划线部分的词语，然后各说一句完整的话或把它用于对话中：

1. 没什么<u>大不了</u>的
   了不起

可说的
值得骄傲

2. 不知怎么办才好
先救谁
说什么
往哪儿走

3. 见一个罚一个
爱
问
抓

4. 人家那街道干净的！
宿舍
孩子
汽车

5. 看谁还敢这么做！
不听话
卖高价
违反交通规则

6. 光罚也不是办法
哭
生气
着急

五、完成下面的对话，然后用上带点儿的词语做模仿会话练习：

1. 甲：您给我们讲讲故宫好吗？
乙：要说故宫啊，____________________。
2. 甲：听说他在这里干了很多坏事，是吗？
乙：可不，咱不说别的，就说前天吧，____________________。
3. 甲：他们队最近可从外国请来一个教练。
乙：这没什么大不了的，____________________。
4. 甲：你知道这次考试考什么内容吗？
乙：还不就是____________________。
5. 甲：这个演员唱得真不怎么样。

乙：可不是！说句不好听的，____________________。

6. 甲：我还有事，你先在这儿坐一会儿吧！

乙：没事儿，您忙您的吧，____________________。

六、根据下面的题目进行模拟采访：

1. 商场里的公共厕所该不该收费？
2. 有什么办法能解决中学生的早恋问题？

七、成段表达：

1. 绿地和城里人的生活。
2. 我（们）眼里的外地人（外民族的人、外国人）。
3. 谈谈你们国家在社会秩序或治安方面存在的不足以及采取的措施。

补充词语

1. 骄傲	（形）	jiāo'ào	proud
2. 教练	（名）	jiàoliàn	coach
3. 早恋		zǎoliàn	to be in love too early
4. 措施	（名）	cuòshī	measure
5. 秩序	（名）	zhìxù	order
6. 采取	（动）	cǎiqǔ	to take; to adopt

补充材料

还是还给您吧

一个穿戴都很时髦的青年开着一辆名牌汽车在大街上兜风。当车开到十字路口时遇到了红灯。他点了一枝烟，随手把空烟盒从车里扔到窗外，正扔在一个清洁女工身上。这位女工捡起烟盒，走近汽车，微笑着问那位青年："这个烟盒您不要了吗？"

"是的，不要了。"

"对不起，我们也不要，还是还给您吧。"

第十四课　你们自己找工作容易吗？

※※※※※※※※※※※※※※※※※※※※※※※※※※※※※※※※※※※※※※

热身话题：

1. 在你们国家，大学生和研究生毕业后怎样找工作？
2. 在你们国家找工作时，男女能受到平等的对待吗？

※※※※※※※※※※※※※※※※※※※※※※※※※※※※※※※※※※※※※※

李阳的女朋友刘英过生日，玛丽和大卫也被邀请参加了这次聚会，望着宿舍里挤得满满的一屋子人，玛丽觉得很感动……

玛　丽：（对刘英）看你们热热闹闹地，真像一家人似的。

刘　英：很多人都这么说。大家一起学习了好几年，一个食堂吃饭，一个宿舍楼住着，同学之间的感情还真是挺深的。不过，眼看要毕业了，以后大家就不在一块儿了，离得远的，想见一次面也不容易呢！

玛　丽：听说你们毕业后是由国家分配工作？

李　阳：那是过去，现在大学生和研究生找工作是双向选择。

玛　丽：我不明白。什么叫双向选择呀？

李　阳：毕业生可以自己选择用人单位，用人单位也可以到学校挑选毕业生。每年到这时候，用人单位就到学校里来了，找毕业生谈话，找系领导谈话；毕业生呢，也可以在一定的期限内，根据自己的专业和兴趣，自己找一个单位。如果用人单位通过看简历、面谈或者考试选中了哪一个人，决定录用，就会向学校发函。如果在规定的期限内没有单位录用，那就只好由学校分配了。

大　卫：你们找工作，需要教授给你们写推荐信吗？

刘　英：要是有教授的推荐就更好了呗。

玛　丽：你们自己找工作容易吗？

男生甲：那得看是谁。我们外地考来的找工作就会有一些麻烦。

玛　丽：为什么？

男生甲：没有本市的户口，也没有住房，这些都需要用人单位解决，而这又是最难解决的事。所以，你要是不比别人出色，用人单位就不一定非要录用你了。

女生甲：另外，我们女生找工作也不太容易。

玛　丽：这又是为什么？

女生甲：很多单位不愿意要女的。

玛　丽：怎么？男女不平等啊？

男生乙：那倒不一定。也许他们认为，有些工作男的干更合适。比如说，有些工作需要经常出差，男的一个人就可以去了，可要是让年轻姑娘一个人去，当领导的就不太放心。

女生甲：我看这也是个借口。凭什么说女的就不能一个人出差？寒假的时候，我一个人去搞社会调查，不也跑了好几个省市？这完全是那些领导的一种偏见！

男生乙：还有一个问题，女的结婚以后，到了一定的时候就得生孩子，那时候不但不能加班、出差，孩子有个病还得请假。

女生甲：那还不是因为你们男的不干，把这些事都推给了女的？我看你们哪，嘴上说什么“男女平等”，其实一个个都是大男子主义！

李　阳：哎，话可得说清楚，我就没有那种思想。

女生甲：现在看你像个“模范丈夫”似的，谁知结婚以后怎么样呢？要是男的都像你现在这样就好了。

女生乙：按我的想法，我是不赞成把男人关在家里做家务的。做家务要心细，比较适合我们女人干。将来我有了丈夫，我倒是希望他去社会上闯荡。男女平等不一定什么事情都得是男女各做一半，关键是大家要互相尊重，互相关心，互相体谅。拿我来说吧，研究生快毕业了，在咱们这儿，学历也算不低了。将来如果能找到好工作，我也会干一番事业的。可如果将来我丈夫在事业上成功了，需要一个“贤内助”，我也愿意为了他去做一个家庭主妇，这也可以看成是一种社会分工嘛，不能说这是男女不平等。

女生甲：你怎么……

王　峰：哎哎哎，说着说着毕业分配，你们怎么争论起“男女平等”来了？还是说说你们找工作有什么进展吧。

刘　英：李阳的工作大概没什么问题，有家杂志社要他，他也想去。

女生甲：听说最近很多单位到咱们系联系，好工作不少呢！

男生甲：能不能得到个好工作倒不是主要的，我最怕把我分回去。

男生乙：你还担心什么！你是咱们这一届的学习尖子，还愁找不到好工作？倒是我这样的，找起工作来不那么容易。

玛　丽：为什么呀？

男生乙：我学的是“冷专业”，除了学校、研究所，没人要我们，可说实话我又不想呆在学校和研究所里，高不成，低不就的，你说怎么办呢？

玛　丽：那就等你的专业“暖和”了再说吧。

词　语

1.	聚会		jùhuì	party
2.	眼看	（副、动）	yǎnkàn	soon; to watch helplessly
3.	毕业		bì yè	to graduate
4.	分配	（动）	fēnpèi	to assign jobs to college graduates
5.	双向		shuāngxiàng	both ways
6.	选择	（动）	xuǎnzé	to choose
7.	挑选	（动）	tiāoxuǎn	to choose

8. 期限	（名）	qīxiàn	time limit
9. 专业	（名）	zhuānyè	specialities
10. 简历	（名）	jiǎnlì	*résumé*
11. 面谈	（动）	miàntán	to interview
12. 录用	（动）	lùyòng	to employ
13. 发函		fā hán	to inform by letter
14. 户口	（名）	hùkǒu	registered permanent residence
15. 出色	（形）	chūsè	outstanding
16. 平等	（形）	píngděng	equal
17. 出差		chū chāi	to be on a business trip
18. 借口	（名）	jièkǒu	excuse
19. 社会调查		shèhuì diàochá	social investigation
20. 偏见	（名）	piānjiàn	prejudice
21. 加班		jiā bān	to work overtime
22. 模范	（名）	mófàn	model
23. 心细		xīn xì	careful；meticulous
24. 闯荡	（动）	chuǎngdàng	to leave home to test oneself
25. 尊重	（动）	zūnzhòng	to treat with respect
26. 体谅	（动）	tǐliàng	to show understanding and sympathy for
27. 学历	（名）	xuélì	record of formal schooling
28. （一）番	（量）	(yì)fān	(for actions which take time or effort)
29. 事业	（名）	shìyè	cause；undertaking
30. 分工		fēn gōng	division of labour
31. 杂志社		zázhìshè	periodical publication
32. 届	（量）	jiè	(used before each period graduates or a regular meeting)
33. 尖子	（名）	jiānzi	the best one
34. 呆	（动）	dāi	to stay

注　　释

1. **大男子主义**　指男子看不起妇女，在妇女面前摆“男比女强”的架子或威风。
2. **话可得说清楚**　说话不能一概而论，要有所区别。
3. **模范丈夫**　指那些比较老实、能承担较多家务劳动的丈夫。说人是“模范丈夫”一般带有半开玩笑的语气，有时也用于讽刺怕妻子的人。
4. **贤(xián)内助**　为自己丈夫能在事业上取得成功而照顾好家庭、不让丈夫分心的贤慧的妻子。
5. **冷专业**　相对“热门专业”而言，指大学为社会需求量较少、工作辛苦而待遇偏低的部门设置的专业。

6. **高不成，低不就**　高而合意的，做不了或得不到；做得了、能得到的，又认为低或不合意，不肯做或不肯要。多指选择工作或选择配偶。

练　　习

（一）

一、根据课文回答下面的问题：

1. 中国的大学生和研究生毕业后怎样找到工作？
2. 为什么外地考来的大学生和研究生找工作不太容易？
3. 为什么女生找工作比男生难？
4. 你对课文中的女生乙关于男女平等的一段话有什么看法？

二、根据实际情况谈一谈：

下面是人们找工作时可能会考虑的几个方面：

①工资待遇的高低；

②工作量的大小；

③对工作的兴趣；

④与自己学的专业有没有关系；

⑤工作单位或老板是否有名气；

⑥单位离家的远近；

……

请你谈谈：

你最先考虑哪个方面？其次呢？不考虑哪个方面？说出你的理由。

三、请你说说：

1. 你是不是觉得有的工作只适合男的干，有的只适合女的？你能各举两个例子说明吗？
2. 在你们国家的大学里，哪些专业是比较热门的专业？哪些属于冷专业？
3. 在你的国家，哪些工作是年轻人最希望得到的工作？说出为什么。
4. 你有没有找工作的经验？和用人单位负责人面谈时应该注意哪些方面？
5. 你对你的国家男女平等的状况满意吗？你觉得在这方面还存在哪些问题？举例说明。

（二）

四、用指定的词语完成下面的对话，然后用它做模仿会话练习：

1. 甲：你这个周末怎么不出去了？
   乙：____________________。（眼看要……了）
2. 甲：听说你们的老板常请公司职员吃饭。
   乙：____________________。（那得看是谁）
3. 甲：领导说这次社会调查你不能参加。
   乙：____________________。（凭什么……？）
4. 甲：你们男人哪，一见漂亮姑娘眼睛都发直了。
   乙：____________________。（话可得说清楚）
5. 甲：我看这事都怪你！你要是不老带着孩子玩，他的学习成绩怎么会这么差？
   乙：____________________。（说着说着……，怎么……）
6. 甲：小王到底找到男朋友了没有？
   乙：咳，____________________。（高不成，低不就）

五、根据所给的题目，选用下面的词语会话：

1. 谈一次找工作的经历；
2. 你向领导提出加薪，领导不同意；
3. 自由选题；

推荐　出色　平等　借口　偏见　愁　眼看
面谈　尊重　体谅　事业　毕业　兴趣　选择

六、模拟表演：

你去某“用人单位”面试，回答用人单位负责人提出的各种问题，如你的简历，你的语言和文化程度，你的社会经历，你的专长，你的要求和希望，等等。可采用一对一的会话形式，也可采用一人在数人面前答辩的形式。这个练习也可以分组进行。

七、读下面的笑话，说说你对这个笑话是怎么理解的：

一家银行招聘会计部主任，来应聘的人很多，由总经理当场面试。面试的题目简单得让人难以相信，只是问应聘的人：一加一等于几？

所有自认为回答正确的都没被录用。只有一个人一直不出声，等别人都走了以后，他将门窗关好，走到总经理身边，轻声向他问道："你想让它等于几？"

这个人最后被录用了。

八、成段表达：

如果你是用人单位的负责人，你希望用什么样的人？说说你的理由。

补充词语

1. 名气	（名）	míngqi	fame
2. 老板	（名）	lǎobǎn	boss
3. 发直		fā zhí	to straighten
4. 加薪		jiā xīn	to raise the salary
5. 招聘	（动）	zhāopìn	to advertise
6. 会计	（名）	kuàijì	accountant
7. 主任	（名）	zhǔrèn	dean
8. 应聘	（动）	yìngpìn	to apply for a position of employment

补充材料

优点和缺点

某公司招聘办公室走进一个应考人。他向主考人介绍自己的情况："无论做什么工作，我都认真负责，每天可以早来晚走，愿意加班，钱多钱少也无所谓；我对所有的人态度和气，有礼貌，从来不发脾气；我不抽烟，不喝酒，不追女人；我没有做过任何坏事，……"

主考人耐心地听完他的自我介绍，面带敬佩的神情对他说："您真伟大，我从来没有见过像您这样十全十美的人。"

这位应考人听了，忙谦虚地回答说："哪里哪里，我这个人也不是没有缺点。我最大的毛病就是有时候说话有点儿言过其实……"

第十五课　我们正准备全市的龙舟大赛呢

※※

热身话题：

1. 你听说过端午节这个节日吗？吃过粽子吗？
2. 说出你知道的几位中国古代著名诗人的名字。

※※

玛丽去历史系学生会找王峰，见王峰和他的同学们穿着中国传统服装，正围坐在一起讨论着什么。玛丽好奇地走上前去……

王　峰：玛丽，你来了？

玛　丽：怎么这副打扮？我都快认不出你了。

王　峰：过两天是中国的传统节日——端午节，我们正准备全市的龙舟大赛呢。

玛　丽：端午节？我听说过，是纪念中国一位有名的诗人的节日，他叫什么来着？

王　峰：屈原，"委屈"的"屈"，"原来"的"原"。

玛　丽：对，我想起来了，前些日子我去拜访一位中文系的教授，他家的墙上挂着一副书法作品，内容好像就是这个屈什么，噢，屈——原——他写的诗，你等等，我这儿记着呢。（掏出书包里的笔记本翻找）在这儿呢。（念）"路漫漫其修远兮，吾将上下而求索"。（周围的人都鼓起掌来）

王　峰：（对身边的同学）你还别说，她念得挺有诗味儿呢。你知道这两句诗的意思吗？

玛　丽：当然啦，意思是"人生的道路很长很长，我要上天入地去寻找自己该走的路"。

王　峰：太棒了！你读过屈原的诗吗？

玛　丽：没有，听说很难懂。

王　峰：是挺难的，别说是你，就连一般的中国人，也很难读懂他的诗，就像很多英国人读不懂莎士比亚的作品一样。

玛　丽：有一点我不明白，中国有名的诗人很多，像李白啦，杜甫啦，陶渊明啦，为什么在中国的传统节日中，只有纪念屈原的一个节日？

王　峰：这可不是一两句话就能说清楚的。屈原是中国最早的爱国诗人，他的死也是为了自己的祖国，很让人感动。当他因为自己的祖国被别的国家打败而投江自杀时，许许多多的老百姓都划着船，到他投江的地方去寻找他的尸体。以后，每年的这一天——也就是端午节——人们都要通过划船的方式来纪念他，慢慢就形成了赛龙舟这样一个传统的活动。

玛　丽：我明白了。我过去常听一些人说，许多居住在国外的华侨，身在国外，心在中国，我想也是受了屈原的影响。

王　峰：你说得太对了！

玛　丽：端午节的时候，你们除了赛龙舟，还有什么活动呢？

王　峰：吃粽子啊！你见过粽子吗？没见过？没关系，我们有个同学刚才去买粽子了，过一会儿你就能吃到。嘿！说曹操，曹操到，你看，他来了。（王峰从买粽子的同学手中拿过两个粽子，将其中一个递到玛丽手里）

玛　丽：噢，是这个呀，我见过，这两天街上到处都有卖这个的，我不知道是吃的东西。

王　峰：你看，还热乎着呢，趁热吃吧。

玛　丽：（剥开粽子，咬了一口）嗯，真香，这里面有红枣吧？

王　峰：对。我吃的这个是豆沙馅儿的。

玛　丽：（边吃边问）吃粽子和屈原也有关系吗？

王　峰：有哇！刚才不是说屈原投江自杀的时候，很多老百姓都划着船去寻找他的尸体吗？尸体没找到，大家就用竹叶包上糯米投到江里，说这样屈原的尸体就不会被鱼虾吃掉了。以后端午节包粽子的风俗就延续下来了。

玛　丽：真没想到，一个节日有这么多动人的故事。要是屈原知道两千多年后的今天，人们还是这么怀念他，没准儿连他自己都会被感动呢。

王　峰：这话说得好。

玛　丽：（注意地看了看这些传统打扮的学生）哎，你们参加龙舟大赛的都是男的吗？为什么没有女的呢？

王　峰：（和同学们对看了一眼）还真是！咱们怎么就没想到呢？这么多年，还都是男子比赛。明年咱们提个建议，让咱们的女同胞也参加进来。

玛　丽：要是明年有女子比赛，算我一个！

词　　语

1. 服装	（名）	fúzhuāng	dress; clothes
2. 副	（量）	fù	(of facial expression; appearance)
3. 打扮	（名）	dǎbàn	dress
4. 纪念	（动）	jìniàn	to commemorate
5. 诗人	（名）	shīrén	poet
6. 拜访	（动）	bàifǎng	to visit
7. 书法	（名）	shūfǎ	calligraphy
8. 作品	（名）	zuòpǐn	works
9. 掏	（动）	tāo	to draw out
10. 笔记本	（名）	bǐjìběn	notebook
11. 寻找	（动）	xúnzhǎo	to look for
12. 祖国	（名）	zǔguó	homeland
13. 打败		dǎ bài	to defeat
14. 投（江）	（动）	tóu(jiāng)	to jump in (the river to commit suicide)
15. 自杀	（动）	zìshā	to commit suicide
16. 划（船）	（动）	huá(chuán)	to paddle or row a boat

17. 尸体	（名）	shītǐ	corpse
18. 居住	（动）	jūzhù	to live
19. 华侨	（名）	huáqiáo	overseas Chinese
20. 粽子	（名）	zòngzi	glutinous rice dumpling
21. 热乎	（形）	rèhu	hot
22. 红枣	（名）	hóngzǎo	red jujube
23. 豆沙	（名）	dòushā	sweet bean paste
24. 馅儿	（名）	xiànr	filling
25. 竹叶	（名）	zhúyè	bamboo leaf
26. 糯米	（名）	nuòmǐ	glutinous rice
27. 虾	（名）	xiā	shrimp
28. 延续	（动）	yánxù	to continue; to last
29. 动人	（形）	dòngrén	moving
30. 怀念	（动）	huáiniàn	to cherish the memory of
31. 同胞	（名）	tóngbāo	compatriot

注　释

1. **龙舟(zhōu)**　也叫“龙船”，装饰成龙形的船，一些地区在端午节用来举行划船竞赛。
2. **端午节**　农历五月初五为端午节，又叫“端阳节”，是中国传统节日。传说古代诗人屈原在这天投江自杀，后人为了纪念他，把这天当作节日，有吃粽子、赛龙舟等风俗。
3. **屈原**　中国早期诗人，战国时期楚国人。因为自己的政治理想无法实现，加上楚国首都被秦国攻占，于是投汨罗江而死。有《离骚》、《九章》、《天问》等诗歌留传后世。
4. **路漫漫其修远兮（xī），吾（wú）将上下而求索（suǒ）**　屈原《离骚》中的两句诗。
5. **莎（shā）士比亚**　（William Shakespeare）英国十六世纪著名戏剧家、诗人。
6. **杜甫（fǔ）**　中国唐代著名诗人。
7. **陶（táo）渊（yuān）明**　中国晋代大诗人。
8. **说曹(cáo)操，曹操到**　这是中国讲故事的人常说的两句话，意思是正说到某一个人，他正好来了。（曹操是中国古代著名的政治家、军事家、诗人）

练　习

（一）

一、根据课文回答下面的问题：

1. 端午节有哪些活动？
2. 龙舟大赛是怎样产生的？
3. 介绍与端午节有关的食品——粽子。

4. 中国人民为什么纪念屈原？

二、请你说说：

1. 介绍你们国家的几种节日食品，并试着说说它具有的文化含义。
2. 介绍你们国家一个与历史或历史人物有关的节日。
3. 你小时候是否在学校里受过爱国教育？举例说一下。

（二）

三、完成下面的对话，然后用上带点儿的词语做模仿会话练习：

1. 甲：他们俩为什么要离婚？
   乙：这可不是一两句话就能说清楚的，____________________。
2. 甲：没准儿老师也来参加咱们的晚会。
   乙：说曹操，曹操到，____________________。
3. 甲：他老是欺负人，人家还能不反抗？兔子急了还咬人呢！
   乙：这话说得好，____________________。
4. 甲：你要是早点儿问我，就不会白跑一趟了。
   乙：还真是！____________________。

四、在回答下列问题时，注意正确使用问句中划线部分的词语：

1. 如果有条件的话，你最希望拜访什么人？
2. 端午节是纪念哪一位诗人的节日？
3. 你吃过哪些馅儿的饺子？
4. 你认为哪位歌星唱的歌最动人？
5. 你最怀念的人是谁？

五、朗读下面几首古代诗歌：

静夜思

李　白

床前明月光，疑是地上霜（shuāng）。举头望明月，低头思故乡。

绝　句

杜　甫

两个黄鹂（lí）鸣（míng）翠（cuì）柳，一行白鹭（lù）上青天。窗含（hán）西岭（lǐng）千秋雪，门泊（bó）东吴（wú）万里船。

归园田居

陶渊明

种豆南山下，草盛（shèng）豆苗稀（xī）。晨兴（xīng）理荒秽（huì），带月荷（hè）锄（chú）归。道狭（xiá）草木长，夕（xī）露沾（zhān）我衣。衣沾不足惜，但使愿无违。

七、成段表达：

1. 我看屈原的爱国行为。
2. 介绍你们国家一位有名的诗人及其作品。

补充词语

1. 电视剧	（名）	diànshìjù	television show
2. 反抗	（动）	fǎnkàng	to resist
3. 兔子	（名）	tùzi	rabbit

补充材料

橘　颂

1=D $\frac{4}{4}$　　　　屈　原词

中慢　　渐慢　原速　　佚　名曲

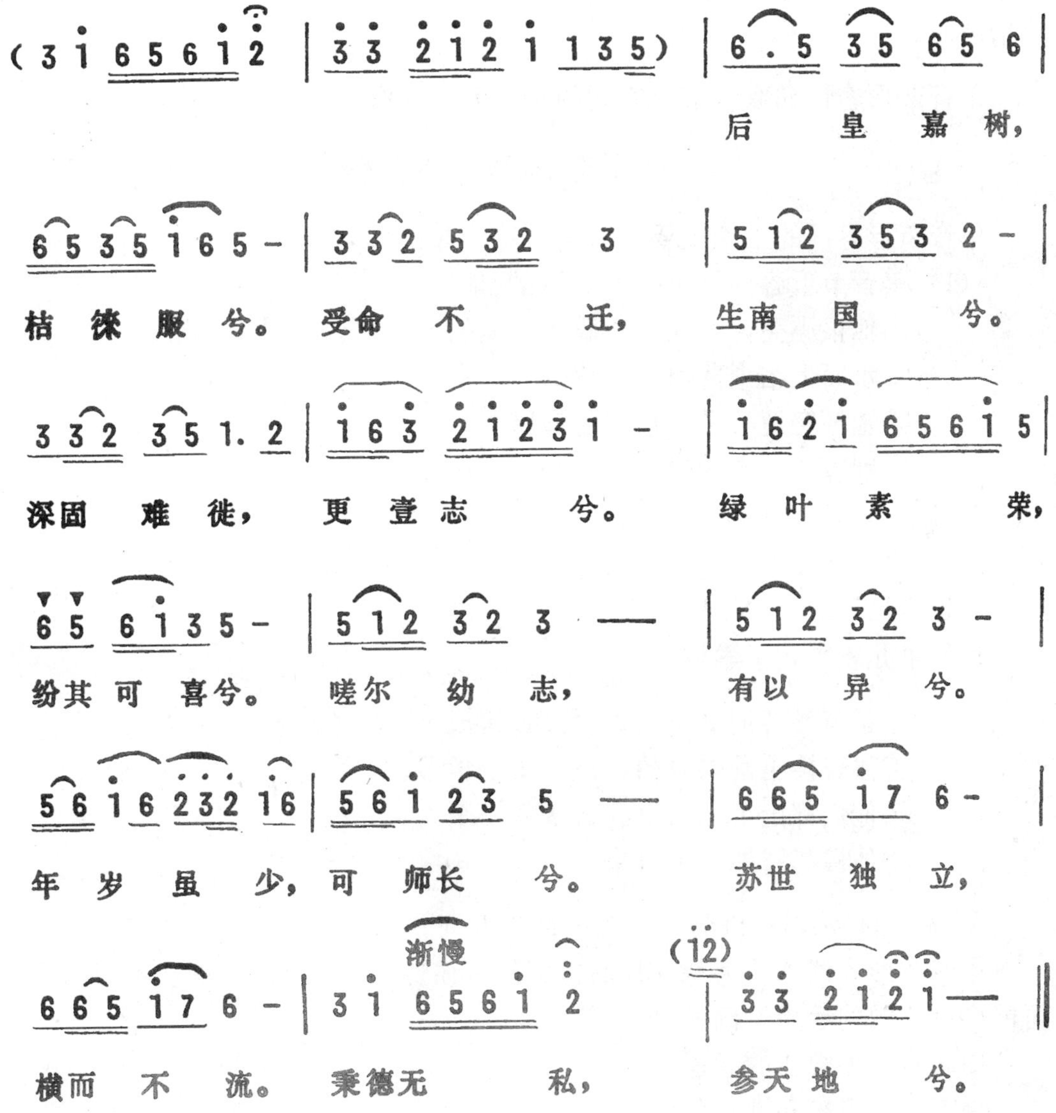

(3 1 6 5 6 1 2 | 3 3 2 1 2 1 1 3 5) | 6 . 5 3 5 6 5 6 |

后　皇　嘉　树，

6 5 3 5 1 6 5 - | 3 3 2 5 3 2 3 | 5 1 2 3 5 3 2 - |

桔　徕　服　兮。受命　不　迁，生南　国　兮。

3 3 2 3 5 1. 2 | 1 6 3 2 1 2 3 1 - | 1 6 2 1 6 5 6 1 5 |

深固　难　徙，更　壹志　兮。绿　叶　素　荣，

6 5 6 1 3 5 - | 5 1 2 3 2 3 — | 5 1 2 3 2 3 - |

纷其　可　喜兮。嗟尔　幼　志，有以　异　兮。

5 6 1 6 2 3 2 1 6 | 5 6 1 2 3 5 — | 6 6 5 1 7 6 - |

年　岁　虽　少，可　师长　兮。苏世　独　立，

渐慢　(12)

6 6 5 1 7 6 - | 3 1 6 5 6 1 2 | 3 3 2 1 2 1 — ‖

横而　不　流。秉德无　私，参天　地　兮。

口语知识（三）

1. 形容词的重叠

一部分形容词在修饰其它词语或单独作句子的某一成分时，可以重叠，构成比原式更为生动的形式。这种重叠，或者使形容的程度有所加强，或者含有某种感情色彩。

单音节形容词和双音节形容词的重叠方式是有区别的。

1）单音节形容词的重叠

单音节形容词的重叠主要有以下两种形式：

（1）单音节形容词 A 构成 AA（的/地）：

①他很漂亮，大大的眼睛，高高的鼻子，像个电影明星。

②水面上结了薄薄一层冰。

③她轻轻地拍了拍孩子的肩膀。

④别着急，有话慢慢说。

单音节形容词重叠为 AA（的/地）这种形式以后，在口语中的读音也稍有变化。第二个 A 一般读阴平（一声），有些还要儿化。例如：

你走得远远的，永远别回来！

他早早儿就来到了学校。

（2）单音节形容词 A 加上后缀 BB 构成 ABB（的/地）：

①宿舍楼里乱哄哄的，没法安心学习。

②他们都走了，剩下我孤零零一个人在家。

③他慢腾腾地走了过来。

ABB 中的 BB，在口语中一般也读阴平（一声）。

单音节形容词 A 与后缀 BB 的搭配是习惯性的，一个形容词在不同的情况下可能会有不同的后缀。例如：

白皑皑（形容雪的颜色）

白苍苍（形容头发和脸色）

白花花（形容银子或水的颜色）

白净净（形容人的皮肤）
白茫茫（形容云、雾、大水等一望无际）
白蒙蒙（形容雾气、水气等）
白晃晃（形容白而亮）

有些 BB 可以加在较多的 A 后。例如：
洋洋：喜洋洋　懒洋洋　暖洋洋
生生：活生生　好生生　脆生生

同一个 BB 的写法常有不同。例如：
黄糊糊　黄胡胡　黄乎乎
美滋滋　美孜孜

2）双音节形容词的重叠

双音节形容词的重叠主要有以下三种形式：

（1）双音节形容词 AB 构成 AABB（的/地）：

①村里来了个壮壮实实的小伙子。
②这些规定在文件里都写得清清楚楚。
③大家高高兴兴地唱了起来。
④你怎么能随随便便把不认识的人请到家里来呢？

在口语中，AABB 中的第二个 A 常读轻声，BB 多读为阴平（一声），有时候，第二个 B 还要儿化，并且是重音所在。如：
慢慢腾腾　màn・mantēngtēng
干干净净的　gān・ganjīngjīng・de
注意：在正式场合 BB 没有语音的变化。

（2）双音节形容词 AB 构成不完全重叠式 A 里 AB（的/地）。
这种构成较为少见，从意义上说多为贬义词，含有厌恶、轻蔑的意味。常见的主要有：
糊里糊涂　啰里啰嗦　慌里慌张　马里马虎　傻里傻气
在这些词语里，“里”读轻声，词语的重音有的放在第一音节，像“慌里慌张”；有的放在第四音节，像“糊里糊涂”。放在第四音节上，使语气更重些。

（3）双音节形容词 BA 构成 BABA 的。这种形容词也不太多，像：
笔直笔直的　冰凉冰凉的　通红通红的

重叠后的形容词有以下几种功能：

其一：修饰名词性成分。例如：

a）蓝蓝的天空飘着白白的云。

b）一个胖乎乎的小男孩儿走了过来。

c）她把干干净净的床单铺在床上。

d）望着她那冻得通红通红的小脸，我只好答应。

e）短短几分钟，船就沉没了。

其二：修饰动词短语。例如：

a）我们美美地吃了一顿。

b）他急冲冲地跑进办公室。

c）全家人快快乐乐地过了一个周末。

d）白白花了那么多时间，也没买上。

e）咱们热热闹闹过个年。

其三：用作谓语。例如：

a）眼睛大大的，像个娃娃。

b）外面黑乎乎的，你不害怕？

c）这姑娘白白净净的，挺讨人喜欢。

d）你的手怎么冰凉冰凉的？

其四：在“得”字后作补语。例如：

a）房间里搞得乱糟糟的。

b）书架收拾得整整齐齐（的）。

c）他说得啰里啰嗦的。

d）老王的脸气得煞白煞白的。

2. 非主谓句

当我们分析一个句子的时候，往往首先想到的是句子的主语和谓语，而且认为缺少主语或谓语就不能算是一个完整的句子。可是在日常生活中，特别是在一些特定的语言环境中，我们所使用的语言恰恰说不清它是主语还是谓语。比如说，有人敲你房间的门，你问了一句：“谁？”这个“谁”字究竟是主语呢，还是谓语呢？我们可以把它理解为：“谁在敲门？”也可以理解为：“敲门的是谁？”但是我们用不着在这方面纠缠，因为它是主语还是谓语无关紧要，最重要的是它把我们要表达的意思表达清楚了。再比如说，点名的时候，点到你，你会大声回答：“有！”这也说不清句子省略的究竟是什么。它所表示的意思是“我在这儿”或“我来了”，如果因为它是动词而把这句话看成是省略了主语，那么“我有”是无论如何也无法讲通的。因此，我们把这种句子叫做非主谓句。

非主谓句主要有以下几种类型：

（1）**名词性非主谓句**　这种非主谓句一般由名词、代词（人称代词、指示代词）或名词性偏正词组构成，用于招呼、提醒、疑问、说明、感叹等特定语言环境。例如：

①小张！（和小张打招呼）

②我的天哪！（感叹）

③汽车！（提醒别人注意开过来的汽车）

④——谁？

——我。（说明）

⑤票！（售票员提醒乘客拿出票来）

⑥多好的天气呀！（感叹）

（2）**动词性非主谓句**　这种非主谓句一般是由单个动词或动词性词组构成的，主要用于呼救、说明、要求等语言环境。例如：

①救命啊！（呼救）

②着火啦！（呼救）

③上课了。（说明情况）

④下雨了。（说明自然现象）

⑤禁止吸烟。（要求人们做到）

（3）**形容词构成的非主谓句**　这种非主谓句主要用于表达某种感情。例如：

①好！

②真痛快！

③糟了！

（4）**感叹词构成的非主谓句**　这种非主谓句表示感叹。例如：

①呸！（表示唾弃或斥责）

②哎哟！（表示惊讶或痛苦）

③咦？（表示奇怪）

非主谓句一般都比较简短，在口语中用得比较多。非主谓句的出现大多要有一定的语言环境，但它本身是能表达出一个相对完整的意思的。

非主谓句与主谓句的省略句是有区别的。省略句是由于语言环境（包括上下文）的帮助因而省略了某些成分，添上所省略的部分后句子不会发生什么变化。而非主谓句则不需要有的也无法添上什么成分去理解。相反，添上后还会产生画蛇添足的副作用。例如：“别抽烟了”这句话，显然是对那些正在抽烟的人说的，是一个祈使句。听这句话的人常常会从“你（或你们）别抽烟了”的角度去理解，加上一个主语“你（或你们）”与原句没什么区别。而看到“禁止吸烟”牌子的人都会感觉到，这是面向大众而不是针对某一个人的，因此没有必要再说明禁止谁吸烟或者在哪儿禁止吸烟。前者显然是主谓句的省略句，而后者则是非主谓句。

练　习

一、请你说出 AA、ABB、AABB **的词语各五个。**

二、用正确的语调朗读下面的词语：

沉甸甸　　绿油油　　安安静静　　哆里哆嗦　　犹犹豫豫
乱哄哄　　热腾腾　　痛痛快快　　轻轻松松　　平平安安
羞答答　　晕乎乎　　普普通通　　蜡黄蜡黄的脸

三、模仿上述非主谓句四种类型的例句，说出你学过的非主谓句。

口语常用语（三）

当你遇到麻烦的时候……

生活中常会发生一些不如意的事，产生的原因也是多方面的，有的是误会，有的是文化不同而引起的，有的是我们自身的原因，有的是对方的责任。当你遇到麻烦的时候，冷静是最重要的。如果你能心平气和地与对方讲清道理，也许事情就会有个好结果。如果为一点小事吵起架来，最后双方都会弄得不愉快。怎样才能有理有据有节地把问题说清楚呢？下面这些语句也许会对你有帮助。

（1）说明与要求

买东西后发现质量有问题，是最让人糟心的了。你只能到商店去退换。而一个售货员拿到你要求退换的商品时，从他的心理角度分析，当然是不乐意的。因此，退换商品时一定要心平气和，耐心地向售货员申诉你要求退换的理由：

①您看，这鞋刚穿了三天就裂开了，它的质量一定有问题。我要求退货。

②这台电视机的图像很不清楚，能不能给我换一台？

③您说这是进口的，可是这里面的说明书却说是国产的。你们是不是弄错了？

④这件衣服没洗干净，您看，这儿、这儿、还有这儿，都有脏的地方。请你们重洗一下。

如果售货员同意退换，事情就圆满解决了。如果不同意退换，并且他的理由说服不了你时，你也不要发怒，进一步阐述你的理由，或者要求找上一级领导解决：

①这衣服我肯定没有穿过。

②是一位戴眼镜的小姐卖给我的。

③你们的商品上写着“包退包换”。

④您要是不能解决的话，我能找你们领导谈谈吗？

⑤我要向消费者协会去反映。

（2）商量与委婉的批评

当你要入睡而同屋还在兴致勃勃地听音乐时，当你在看书而楼上的住户在房间里跳起舞时，当你和朋友在饭馆里吃饭被过大的音乐声弄得心烦时，当你在商店挑选货物而售货员告诉你“不卖了，已经下班了”时，你可能会生气，你可能去和对方吵架。不，这不是最好的办法。我们还是要忍住心中的火儿，尽量用商量的语气来解决问题：

①对不起，我想早点儿休息，你能戴上耳机听音乐吗？

②在宿舍楼里跳舞恐怕不太合适吧？

③劳驾，这里太吵了，能不能把声音放低一点儿？

④顾客没走就下班，你们的商店有这样的规定吗？

⑤能不能让我买完这件东西你们再下班？

⑥这么做我想是不太合理的。

（3）提醒和申辩

有人在和别人发生矛盾的时候，往往头脑不冷静，摆出一副要打架的样子，这时候，如果你也不冷静，双方就会打起来。你应该等他的火气稍稍平静一点的时候，为你自己申辩，提醒他注意他自己的错误。

举例来说，在街上，骑自行车的人很多，有时候难免会发生碰撞，碰撞双方都会觉得生气，无论责任是在哪一方。如果确实不是你的错误，你可以用平和的语气提醒他：

①你为什么抢红灯呢？

②这么多车，你不应该逆行。

③你在我后面骑，我怎么会撞你呢？

④你拐弯儿的时候，应该打个手势。

⑤你要让警察来评评理吗？

再比如说，在商店买东西时遇到服务态度不好的售货员，你也可以提醒她：

①你们不是有服务行业忌语吗？您能在大家面前把刚才的话重复一遍吗？

②你们的服务公约上明明写着“顾客不满意在一周之内可以退换”。

③不是您同意我把商品打开的吗？

④您这么做不觉得有损你们商场的荣誉吗？

（4）希望和建设性的意见

发生了矛盾，特别是与某一单位之间发生了矛盾，无论是否得到圆满的解决，都可以用“希望”这个词语表示自己的意见，当然，能提一些建设性的意见更好：

①希望你们能根据实际情况把规定再改进一下。

②但愿今后不再发生这种事。

③要是事情真能像您所保证的那样就好了。

④最好是把这些规定写出来，让大家都看到。

⑤希望你们的售货员能对顾客和善一点儿。
⑥要是你们都能这样做，顾客就不会有意见。
⑦希望以后你们能多从我们留学生的角度考虑一下儿。
⑧希望我们的食堂能听取大家的意见，把食堂办得越来越好。

第十六课　一家要是有两三个电视就好了

※※

热身话题：

1. 你喜欢看电视吗？为什么？
2. 你最喜欢看哪些电视节目？你家里人呢？
3. 你在中国常看电视吗？喜欢看哪些频道？

※※

这天晚上，山本到陈教授家请教一些关于考研究生的问题。谈完后，陈教授邀请他到客厅和家里人一起聊天儿，陈教授的夫人、儿子、儿媳和小孙女正在客厅里看电视……

山　本：（问小孙女）小朋友，你在看什么哪？

小孙女：《大闹天宫》，是孙悟空的故事，特棒！

儿　子：（有点儿不耐烦地）我们都知道“特棒”，可是这个动画片儿你至少看过二十遍了，咱们换个频道，好吗？

小孙女：不嘛，我就要看。

师　母：孩子要看，你就让她看嘛！总比看什么外星人宇宙战争好。这片子虽说老了点儿，可对孩子有教育意义，哪像现在有些片子，看着怪吓人的。

山　本：我小的时候也特别爱看动画片儿，一看起来就没够。日本的孩子也都知道孙悟空，还有那个胖胖的，长得很可笑的——

小孙女：猪八戒！

山　本：对！我就是从那时候开始对中国发生兴趣的。

师　母：（对儿子）你听听！我说什么来着？这是中国传统文化，你老说：“过时了！过时了！”可你看，这片子在外国都有那么大的影响！比那星球大战可强多了！

儿　子：妈，您又来了，星球大战这样的动画片儿也有它的特点，至少能培养孩子的想像力呀。

师　母：我看光让孩子学会怎么“统治宇宙”了。现在的电视节目，能让孩子们看的可真不多。就说那电视剧吧，有几个没有谈恋爱的镜头的？你亲我我吻你的，把孩子们都教坏了！再不就是凶杀，让人看了晚上直做噩梦。

儿　媳：（笑）您说得也太严重啦。

山　本：师母，您最喜欢看什么电视节目哇？

小孙女：我奶奶最喜欢看天气预报。

师　母：（笑着瞪了小孙女一眼）问你啦？（对山本）我呀，最喜欢看新闻。现在我退休在家，一天到晚挺闷得慌的，看看新闻，了解了解国内外的大事，见到我那些老姐妹呀，跟她们也有的聊。除此之外，电视晚会啦，老电影啦，我都挺喜欢看的。有时也看看专题节目，比如讲老年人健康的。

儿　子：别看我妈老说现在的电视剧不好，可看起来还是一集不落。

师　母：你呢，一有足球比赛，不也老是半宿半宿地看吗？

陈教授：你们两个呀，谁也别说谁，都够呛！（众笑）

山　本：现在的电视频道多吗？

儿　媳：可多了，遥控器都不够用了。光中央台就七八个呢，地方台就更多了。再加上有线电视，哪儿看得过来呀？唉，一家要是有两三个电视就好了。

小孙女：（拉着陈教授的手）爷爷，咱们家再买两个电视吧。

陈教授：买！买！电视再多，你也只有一双眼睛，总不能一只眼睛看这个台，一只眼睛看那个台吧？

小孙女：孙悟空就能！

师　母：（逗小孙女）那就让孙悟空给你买吧！（对山本）电视频道多了也麻烦，过去虽说就那么两三个台，可大家一起看，谁也不打架。现在可好，频道多了，你要看动画片儿，他要看体育比赛，整天为这个吵吵嚷嚷的。

陈教授：所以说，频道多点儿少点儿关系不大，还是要看节目质量。前些天演的那部电视剧，叫什么来着？——挺感人的那个——不是有很多家庭老老小小围坐在一起看吗？可惜像那样的好节目还不多。

儿　媳：我看电视里的很多专题节目挺不错的，像“电视诊所”、“电视商场”、“中国文化讲座”什么的，看了真让人长知识。

师　母：瞧，动画片儿演完了。哎呀，又演广告了，真没意思！

儿　子：转体育频道！

师　母：拿《电视报》来，看看有什么好电视剧。

儿　媳：过一会儿有“电视商场”，在六频道。

陈教授：（对山本，无可奈何地）没办法，又打起来了。（对大家）今晚咱们有客人，所以大家都别争，让客人说了算，好不好？

全　家：好！

山　本：（腼腆地）真让我决定啊？不好意思。这个……今晚七点四十五分，有中国队和意大利队的一场足球比赛，（低头看了一下表）现在离比赛开始还有五分钟，如果大家都愿意看的话……

词　　语

1. 邀请	（动）	yāoqǐng	to invite
2. 儿媳	（名）	érxí	daughter-in-law
3. 孙女	（名）	sūnnǚ	granddaughter
4. 特	（副）	tè	very
5. 耐烦	（形）	nàifán	patient
6. 动画片儿	（名）	dònghuàpiānr	cartoon
7. 频道	（名）	píndào	channel
8. 外星人	（名）	wàixīngrén	alien
9. 宇宙	（名）	yǔzhòu	universe
10. 战争	（名）	zhànzhēng	war
11. 片子	（名）	piānzi	movie; film

12.	怪……的		guài……de	quite
13.	过时	（形）	guòshí	out-of-date
14.	星球大战		xīngqiúdàzhàn	star wars
15.	培养	（动）	péiyǎng	to nurture
16.	统治	（动）	tǒngzhì	to rule
17.	吻	（动）	wěn	to kiss
18.	凶杀	（动）	xiōngshā	to murder
19.	噩梦	（名）	èmèng	nightmare
20.	天气预报		tiānqìyùbào	weather forecast
21.	闷	（形）	mèn	bored
22.	落	（动）	là	to forget; to leave out
23.	遥控器	（名）	yáokòngqì	remote control
24.	有线电视		yǒuxiàndiànshì	cable TV
25.	吵吵嚷嚷		chǎochǎo rǎngrǎng	to quarrel
26.	感人	（形）	gǎnrén	moving
27.	广告	（名）	guǎnggào	advertisement
28.	无可奈何		wúkěnàihé	It can't be helped.
29.	腼腆	（形）	miǎntiǎn	shy

注　　释

1. **《大闹天宫》**　中国古代著名小说《西游记》中的一段故事，写孙悟空因不服从命运的安排而大闹天宫，歌颂了孙悟空的反抗精神。后被排成戏剧和电影。
2. **孙悟**（wù）**空**　《西游记》中的主要人物，是个具有反抗精神、勇于同妖魔鬼怪作斗争的英雄人物。
3. **猪八戒**（jiè）　《西游记》中的主要人物，是个好吃懒做、贪恋女色、喜欢挑拨、爱占便宜、让人觉得可气又可笑的喜剧人物。
4. **说了算**　做主，掌握决定权。
5. **意大利**（Italia）　欧洲南部的一个国家，是著名的足球王国。

练　　习

（一）

一、根据课文回答下面的问题：

1. 师母与儿子在对待动画片儿的看法上有什么不同？
2. 师母喜欢看什么电视节目？为什么喜欢看这些节目？
3. 山本最喜欢看的电视节目是什么？从什么地方可以看出来？

4. 在陈教授家可以看到哪些电视台的节目？

二、请你说说：

1. 你们国家最受欢迎的电视节目；
2. 现在你们国家最受欢迎的动画片儿；
3. 在你们国家，电视广告多不多？你对它感兴趣吗？为什么？
4. 你喜不喜欢看几十年前的老电影？为什么？
5. 在你的家里有没有争看不同频道的矛盾？

三、复述：

请你分别以师母、小孙女、儿子、儿媳、山本的口吻，介绍这一家人对电视节目的不同爱好。

（二）

四、用指定的词语完成下面的对话，然后用它做模仿会话练习：

1. 甲：大冷天的，出去玩儿没意思。
   乙：____________________。（总比……好）
2. 甲：这几个十七八岁的姑娘，怎么都有男朋友了？
   乙：____________________。（有几个没有……的？）
3. 甲：你今天必须把这些作业都做完。
   乙：____________________。（哪儿……得过来呀？）
4. 甲：就是没钱吃饭，也不能去那样的地方打工。
   乙：____________________（总不能……吧？）

五、读下面的几组句子，体会划线部分词语的意思，并模仿会话：

1. ①他刚来的时候挺用功的，现在可好，经常旷课。
   ②大家都在复习，他可好，一个人在宿舍睡大觉。
   ③上课应该穿戴整齐，你们可好，穿着背心、拖鞋就来了。

2. ①甲：那家商场人多极了，根本没法买东西。
   乙：我说什么来着？优惠酬宾人能不多吗？
   ②甲：这次考试真有你说的那道题。
   乙：我说什么来着？肯定会考这道题。

3. ①妈妈：你都快三十了，该找对象了。
 女儿：您又来了，我真的不想结婚。
②丈夫：听人说适当地喝点儿酒对身体有好处。
 妻子：又来了，你不是说好再也不喝酒了吗？

六、回答下列问题，用上下面句子中划线部分的词语：

1. 当别人邀请你跳舞而你又不想跳的时候，你会怎么表示？
2. 如果一个售货员对你的提问表示不耐烦，你会怎么做？
3. 当你感到闷得慌的时候，你常做些什么？
4. 谈谈你生活中遇到的一件感人的事。
5. 谈谈你认为已经过时的一种衣服、一种想法、一种行为等等。

七、就以下辩题进行辩论：

1. 孩子看电视利大于弊。
2. 电视剧的发展对电影事业是一种冲击。

补充词语

1. 矛盾	（名）	máodùn	conflict
2. 旷课		kuàng kè	to cut school
3. 背心	（名）	bèixīn	tank top
4. 拖鞋	（名）	tuōxié	slippers
5. 酬宾		chóu bīn	to reward customer
6. 对象	（名）	duìxiàng	boy or girl friend
7. 冲击	（名）	chōngjī	impact

补充材料

谁也别说谁

晚饭后，夫妇二人坐在客厅里看电视连续剧。妻子被剧中情节感动，不停地用手绢擦眼泪，有几次竟哭出声来。丈夫实在忍受不下去了，不耐烦地对妻子说："你知道不知道？那是演员在演戏！又不是真事，值得你为她们流眼泪吗？"

妻子反击说："你还说我哪？你不也一样吗？你看足球的时候，大喊大叫，人家进了球，你乐得什么似的。人家也不认识你，值得你为他们欣喜若狂吗？"

"得！咱谁也别说谁了。"

第十七课　女人穿上旗袍真是挺漂亮的

※※※

热身话题：

1. 你在中国做过衣服吗？你见过旗袍吗？
2. 介绍一下你们国家具有民族特色的服装。

※※※

玛丽早就想做一件旗袍了。这一天，她来到一家有名的服装店……

店　员：小姐，您想做件什么？
玛　丽：我想做一件旗袍。
店　员：您想做件什么样的？
玛　丽：我也说不出什么样式，反正……反正就是做一件旗袍。
店　员：那您跟我来吧。（带玛丽走到房间的另一边，那里挂着各种各样的旗袍）这些旗袍都是我们的样品，它们的面料和样式都不一样，价钱也有高有低。您看，这是长袖的，那边的是短袖的；这几件是高档的，那边大部分是中低档的，不知您喜欢哪一种？
玛　丽：我都看花眼了。您说我穿哪一种好看？
店　员：像您这样的身材，我看穿这种样式的比较合适。（指了指身边的一件旗袍）这是一种新面料制成的，穿在身上有一种挺舒服的感觉，价钱也合适。
玛　丽：那就听您的，做这样的吧。
店　员：请到这边来，我给您量量尺寸。
（店员给玛丽量着尺寸，玛丽和店员聊了起来。）
玛　丽：您这儿的生意真不错啊，看来做旗袍的人还挺多嘛！
店　员：是啊，女人谁不希望把自己打扮得漂亮一点儿呢？
玛　丽：女人穿上旗袍真是挺漂亮的，可平时我怎么很少看到有人穿呢？
店　员：旗袍算是比较正式的服装，一般人都是在参加晚会、婚礼或是大型宴会时才穿，显得庄重。穿着旗袍上街买菜、骑车、挤公共汽车，那多不方便哪，和环境也不协调哇。
玛　丽：（笑）那倒也是。
店　员：穿高档衣服也得看场合。晚礼服漂亮，可你要是大白天的穿着在大街上走，别人准会怀疑你吃错了药。另外，穿着打扮还要适合个人的身材、职业，挺胖的人穿着一条瘦牛仔裤，就把自己的毛病全都暴露了；穿着比较暴露的衣服去公司上班，肯定会被老板“炒鱿鱼”。也有的人穿戴搭配得不合适：男的是西服下面一双运动鞋，女的是高跟鞋健美裤一起穿，让人怎么看怎么不舒服。
玛　丽：是这样，有时候我看一些姑娘在街上穿着很短、很薄的衣服，就是你们报纸上说的“短、透、露”，是让人觉得挺别扭的。
店　员：穿什么服装还和礼貌有关：比如在一些公共场合，禁止衣冠不整的人进入；在中小学要求学生穿统一的校服。该穿戴整齐的时候，就不能太随便了。

玛　丽：是啊，我们那儿有的留学生穿衣服就太随便了，夏天穿着背心、拖鞋就上课来了，这在你们看来，也是对老师不尊重的表现吧？

店　员：那当然！你看我们这儿的大学生有这样的吗？

玛　丽：好像真没见过。

店　员：和西方国家的人比起来，大多数中国人穿衣服还是比较保守的，特别是老人。

玛　丽：这点我有体会。前几个月，我们在一个小城市旅行的时候，我和朋友去游泳馆游泳，在那儿和管理员吵了一架，那个老太太非说我们穿的比基尼泳装——就是你们说的"三点式"——不"合格"，不让我们进去，很多人都来围观，看他们那好奇的样子，就像我们没穿衣服似的。

店　员：现在很多大城市的人对这种泳装已经习以为常、不觉得奇怪了。不过，不少人还是有这样的想法：别人穿不穿我不管，反正我不让我的女儿穿。

玛　丽：（笑）可以理解。不过年轻人倒是喜欢穿得与众不同，那才显得有个性。

店　员：是啊，就说我们这个店，常有顾客拿着画报、杂志什么的来找我们，要求我们照上面的衣服样子做。有些样式别说做，我们连见都没见过。一般来说，我们都会想方设法满足他们的要求，但也有不愿做的。比如有的顾客让我们做乞丐穿的那种衣服，我们就没给他做。那种衣服穿在身上美吗？再说我们做了对我们店的声誉也会有影响。人家会说：这也叫衣服？你们可真会设计呀！

玛　丽：您不知道，年轻人穿这种衣服，也是一种时髦呢。

词　语

1. 样品	（名）	yàngpǐn	sample
2. 面料	（名）	miànliào	material
3. 尺寸	（名）	chǐcùn	size
4. 宴会	（名）	yànhuì	banquet
5. 庄重	（形）	zhuāngzhòng	dignified
6. 协调	（形）	xiétiáo	well-matched
7. 场合	（名）	chǎnghé	occasion
8. 晚礼服	（名）	wǎnlǐfú	evening suit (or dress)
9. 怀疑	（动）	huáiyí	to doubt; to suspect
10. 穿着	（名）	chuānzhuó	dress
11. 牛仔裤	（名）	niúzǎikù	jeans
12. 暴露	（动、形）	bàolù	to expose; revealing
13. 搭配	（动）	dāpèi	to arrange; to put together
14. 高跟鞋	（名）	gāogēnxié	high-heeled shoes

15.	健美裤	（名）	jiànměikù	stretch pants
16.	透	（动、形）	tòu	transparent
17.	别扭	（形）	bièniu	uncomfortable
18.	衣冠不整		yīguānbùzhěng	be sloppily dressed
19.	统一	（动、形）	tǒngyī	unified
20.	校服	（名）	xiàofú	school uniform
21.	背心	（名）	bèixīn	tank top
22.	拖鞋	（名）	tuōxié	slippers
23.	保守	（形）	bǎoshǒu	conservative
24.	比基尼	（名）	bǐjīní	bikini
25.	泳装	（名）	yǒngzhuāng	swimming-suit
26.	合格	（形）	hégé	up to standard
27.	习以为常		xíyǐwéicháng	to be used to sth.
28.	与众不同		yǔzhòngbùtóng	out of the ordinary
29.	个性	（名）	gèxìng	personality
30.	想方设法		xiǎngfāng shèfǎ	to do everything possible; to try every means
31.	乞丐	（名）	qǐgài	beggar
32.	声誉	（名）	shēngyù	reputation; fame
33.	设计	（动）	shèjì	to design

注　释

1. **旗**（qí）**袍**（páo）　一种具有中国民族特色的服装，原为满族妇女所穿，后在汉族地区广泛流行。
2. **看花眼**　可供挑选的东西太多，以至于分不出哪种好、哪种不好了，也说“挑花眼”。
3. **吃错药**　比喻精神不正常。

练　习

（一）

一、根据课文回答下面的问题：

1. 为什么平时在街上看不到穿旗袍的？
2. 哪些人的穿戴让人看了觉得不舒服？
3. 谈谈穿戴与礼貌的关系。
4. 谈谈一些人在穿着方面的保守想法与做法。
5. 年轻人在穿着观念上与老年人有什么不同？

二、根据实际情况谈一谈：

人们在选购衣服的时候，常常会注意以下几个方面：

①价钱的高低；

②面料的好坏；

③是否是名牌；

④质量的好坏；

⑤是否与众不同；

⑥是否时髦；

⑦是否合身；

⑧是否适合自己的年龄、身材和职业；

……

也许还有很多。

请谈谈你买衣服的时候，比较注重的是哪些方面，说说理由。

三、请你说说：

1．下列服装适合在什么场合穿？不适合在什么场合穿？

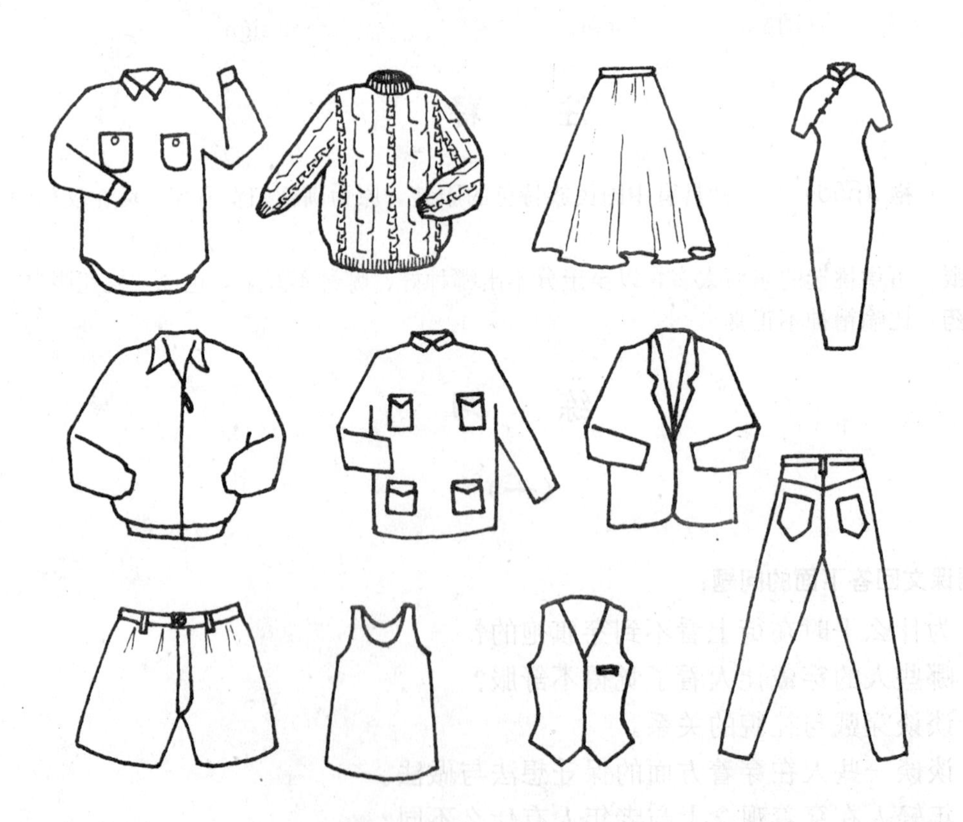

2.、中小学生该不该穿统一做的校服？有什么好处或不利之处？
3. 你认为在公共场合是否应该注意自己的穿戴？你自己是怎么做的？

（二）

四、替换划线部分的词语，然后各说一句完整的话或用于对话中：

1. 怎么看怎么不舒服
   穿　别扭
   装　不像
   想　合适

2. 是让人觉得挺别扭的
   难过
   生气
   不好意思

3. 别人穿不穿我不管，反正我不让我的女儿穿
   洗不洗　不想洗
   怎么想　得这么做
   去哪儿　要去南方

4. 那才显得有个性
   年轻
   有学问
   与众不同

5. 你们可真会设计呀！
   说话
   开玩笑
   做买卖

五、用指定的词语完成下面的对话，然后用它做模仿会话练习：

1. 甲：这些都是国内外的名牌产品，您买哪一种？
   乙：＿＿＿＿＿＿＿＿＿＿。（看花眼）
2. 甲：我觉得你吃这种药比较合适。
   乙：＿＿＿＿＿＿＿＿＿＿。（听你的）
3. 甲：现在上高考补习班的可真多呀！
   乙：＿＿＿＿＿＿＿＿＿＿。（谁不希望……呢）

4. 甲：你怎么不帮孩子穿衣服？

乙：________________。（该……，就……）

5. 甲：你每天有午睡的习惯吗？

乙：________________。（一般来说）

六、成段表达：

举例谈谈（近几年你们国家）服装的几种流行样式，并分析一下其中所反映的当时的社会心态。

补充词语

1. 选购	（动）	xuǎngòu	to pick out and buy
2. 名牌	（名）	míngpái	famous brand
3. 合身		hé shēn	to fit
4. 制服	（名）	zhìfú	uniform
5. 超短裙	（名）	chāoduǎnqún	mini-skirt
6. 装	（动）	zhuāng	to act; to dress up
7. 补习班	（名）	bǔxíbān	continuation class
8. 反映	（动）	fǎnying	to reflect

第十八课　《长寿指南》（相声）

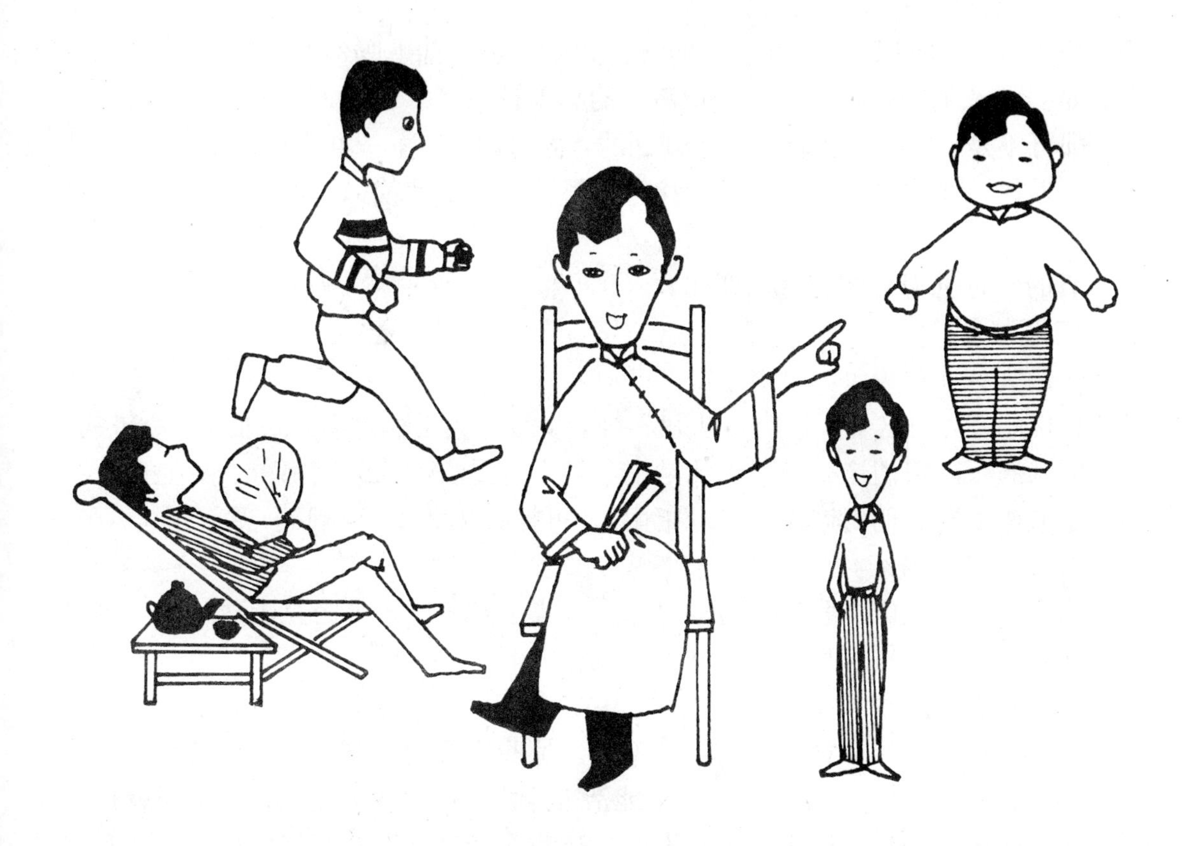

※※

热身话题：

1. 你认为人怎样才能长寿？
2. 你听过相声吗？能说出著名的相声演员的名字吗？

※※

大卫最近迷上了中国的相声艺术，他拜了一位有名的相声演员为师，每星期去老师家学几次，现在还真能说几段了。下面就是他和老师在电视台举办的晚会上表演的一段相声……

甲：各位朋友，您想健康长寿吗？您想永不衰老吗？您想青春常在吗？请订阅我们的《长寿指南》杂志吧！

乙：哎呀，《长寿指南》是你们办的呀？太好了！你知道吗？我正想找你们哪。

甲：是吗？看来您是我们《长寿指南》的忠实读者了？

乙：那可不是！你们的杂志是今年创刊的，俩月出一期，一共出了四期，没错吧？告诉你，你们的《长寿指南》我每期都买，买了就读，读了就照上面说的去做。

甲：真的？你觉得身体有什么变化？

乙：变化太大了！

甲：快跟大伙儿说说。

乙：各位朋友，我这个人从小身体就不好，岁数越大毛病越多：高血压、心脏病、糖尿病……咱们这么说吧，凡是中老年人容易得的病，我都得上了。自从在小书摊上发现他们这本《长寿指南》，可把我乐坏了，一下子买了五本……

甲：买那么多干吗？

乙：为了看着方便哪！我枕头边放一本，饭桌上放一本，办公桌上放一本，手提包里放一本，厕所里也放一本，走到哪儿看到哪儿。

甲：您这种精神真令人感动。怎么样？有收获吧？

乙：看第一期的时候，觉得收获还真不小。那些文章的名字我还都记着呢，什么《生命在于运动》、《饭后百步走，能活九十九》、《身体就怕不动，脑子就怕不用》……我一想，说来说去，不就是让我多活动活动嘛！好，你怎么说我就怎么做：早晨围着我们的楼群跑它十圈；中午别人休息，我一个人跑楼梯，从一楼跑到楼顶再跑下来；晚上甭管多晚，我都打几遍太极拳。

甲：感觉怎么样？

乙：你还别说，身子感到轻松多了。

甲：（得意地）我说什么来着？看我们的杂志只有好处没有坏处。

乙：要是只看第一期，也就没事了，坏就坏在我又买了第二期。

甲：第二期怎么了？

乙：和第一期唱上反调了。有一篇文章叫做《“生命在于运动”质疑》，说什么“生命在于静止”，最可气的是举的那个例子，说乌龟之所以长寿，就是因为它很少活动。这是从哪儿说起呀！

甲：可这话听起来也有道理嘛！

乙：还有一篇文章说，高血压患者饭后一定要卧床休息，千万不要活动。
甲：是有这么说的。
乙：我一看吓坏了，再也不敢活动了，每天吃饱了一躺，这下倒好，眼看着我就跟那气球似地一下子胖了起来。
甲：胖点儿倒不要紧，关键是别有病。
乙：过了没多久，你们的第三期又出来了。我买回家一看：得，又得变。
甲：这期又怎么了？
乙：这期第一篇就是《有钱难买老来瘦》。
甲：这话没错儿，常听人们这么说。
乙：这期的文章里，动员人们减肥。还规定了"五不吃"：肥肉不吃，糖不吃，鸡蛋黄不吃，冰激凌不吃，点心不吃。你说，这都是我爱吃的东西，要是都不让吃，那活着还有什么意思呢？
甲：话不能这么说。只要能长寿，少吃点儿也没什么。
乙：我当时也这么想。咬咬牙，把这些东西都忌了。这些天，我饿得两眼发黑，走路直打晃儿，外面一刮风，连门都不敢出，怕让风吹倒喽。两个月下来，我的体重减少了十公斤。你看我现在瘦的！这可真是"长寿"了，又长又瘦。
甲：可这对你的健康有好处哇！有好处你就得坚持。
乙：我倒想坚持呢，可你们的第四期又出来了，我买来一看，把我气得……！（对观众）你们猜第一篇文章写的是什么？——《想长寿，吃肥肉》。
甲：这我还真听说过。说有一个老太太，每天晚上吃一碗红烧肉，结果活到一百多岁。
乙：文章里还说经科学家考证，胖子的平均寿命比瘦子长。你说，这不是耍我呢吗？早知道吃肥肉也能长寿，我何必减肥，自己折磨自己呢？我呀，再这么折腾下去，别说长寿了，能不能活过今年还难说呢。
甲：别这么悲观。好日子还在后头呢！
乙：你别拿好听的话来哄我。今天你当着大家的面，能不能跟我们说句实话：到底怎么做才能长寿？
甲：这……（对观众）各位朋友，想知道怎么做才能长寿吗？我们的第五期《长寿指南》就要出版了，答案就在里面，欢迎大家踊跃购买！

（本篇根据牛群、冯巩合说相声《无所适从》改写）

词　　语

1.	长寿	（形）	chángshòu	long life
2.	指南	（名）	zhǐnán	guide
3.	相声	（名）	xiàngsheng	cross talk；banter

4. 衰老	（形）	shuāilǎo	aged
5. 订阅	（动）	dìngyuè	to subscribe to (a newspaper, periodical, etc.)
6. 忠实	（形）	zhōngshí	faithful
7. 创刊		chuàng kān	to start publication
8. 期	（量）	qī	(issues of papers, etc.)
9. 大伙儿	（名）	dàhuǒr	everybody
10. 高血压	（名）	gāoxuèyā	high blood pressure; hypertension
11. 心脏病	（名）	xīnzàngbìng	heart disease
12. 糖尿病	（名）	tángniàobìng	diabetes
13. 枕头	（名）	zhěntou	pillow
14. 在于	（动）	zàiyú	to lie in
15. 楼梯	（名）	lóutī	stairs
16. 唱反调		chàng fǎndiào	to deliberately speak or act contrary to
17. 质疑	（动）	zhìyí	to query
18. 可气	（形）	kěqì	annoying
19. 乌龟	（名）	wūguī	tortoise
20. 患者	（名）	huànzhě	patient
21. 卧床		wò chuáng	to lie in bed
22. 气球	（名）	qìqiú	balloon
23. 动员	（动）	dòngyuán	to arouse
24. 鸡蛋黄	（名）	jīdànhuáng	yolk
25. 冰激凌	（名）	bīngjīlíng	ice-cream
26. 忌	（动）	jì	to give up
27. 打晃儿		dǎ huàngr	to shake
28. 红烧肉	（名）	hóngshāoròu	stewed pork with brown sause
29. 考证	（动）	kǎozhèng	to research
30. 寿命	（名）	shòumìng	life
31. 耍	（动）	shuǎ	to make fun of
32. 何必	（副）	hébì	why bother
33. 折磨	（动）	zhémó	torment
34. 折腾	（动）	zhēteng	to do sth. over and over again; to cause physical or mental suffering
35. 悲观	（形）	bēiguān	pessimistic
36. 答案	（名）	dá'àn	answer
37. 踊跃	（形）	yǒngyuè	eagerly; enthusiastically

注　释

1. **相(xiàng)声**　中国一种说唱艺术，以说笑话、幽默问答、学说学唱等方式逗引观众发笑，内容多用于讽刺，以二人表演的对口相声为主，也有一人说的单口相声和多人说的群口相声。
2. **跑它十圈**　“它”在这里是虚指，也可以写成“他”，用于口语，语气比较随便。
3. **这是从哪儿说起呀！**　表示不该这么说或所说的话没有根据，带有不满的语气。

练　习

（一）

一、你觉得下面这些话是否有道理：

1. 生命在于运动。
2. 身体就怕不动，脑子就怕不用。
3. 乌龟之所以长寿，就是因为它很少活动。
4. 高血压患者饭后一定要卧床休息，千万不要活动。
5. 有钱难买老来瘦。
6. 想长寿，吃肥肉。
7. 胖子的平均寿命比瘦子长。

二、请你说说：

1. 根据你自己的经验谈谈运动对身体健康的好处。
2. 举例说说身体不好的人应该选择哪些运动方式？
3. 哪些食品吃多了对人的健康没有好处？
4. 人的体重应该控制在什么水平上比较合适？
5. 说出几种对身体健康不利的生活习惯。
6. 这篇课文想要说明的问题是什么？

三、表演：

1. 分组表演这个相声。
2. 将这篇课文改编为五至六人表演的小话剧。

（二）

四、模仿例句，把下面的短语扩展成一句完整的话：

1. 坏就坏在我又买了第二期。
   难就难在
   好就好在
   舒服就舒服在

2. 最可气的是举的那个例子。
   最倒霉的是
   最可笑的是
   最有意思的是

3. 胖点儿倒不要紧，关键是别有病。
   长点儿倒不要紧
   多点儿倒不要紧
   辛苦点儿倒不要紧

五、完成下面的对话，然后用上带点儿的词语做模仿会话练习：

1. 甲：他做过哪些坏事？
   乙：________、________、________……咱们这么说吧，__________。
2. 甲：你是不是说我考试作弊？
   乙：这是从哪儿说起呀！__________________。
3. 甲：听说豆腐和菠菜不能一起吃。
   乙：是有这么说的，__________________。
4. 甲：我看你妈妈的病都是让你们气的。
   乙：话不能这么说，__________________。
5. 甲：你要去国外讲学，是吗？
   乙：__________，能不能__________还难说呢。

六、读下面的两个小对话，谈谈你在生活中经历过的类似的事情：

该不该吃皮

儿子：爸爸，你说话怎么变来变去？昨天我吃苹果，你让我带皮吃，今天却又让我削了皮再吃。

爸爸：我有什么办法？昨天报上说苹果皮含有大量维生素C，可今天报上讲的是苹果皮上有农药污染。

转　床

甲：您的床怎么会转？

乙：咳！都是让报纸闹的。报上一会儿说头朝南睡好，一会儿说头朝北睡好，一会儿又说头对着东睡好，我要是不弄个转床，怎么应付得过来呀？

补充词语

1. 控制	（动）	kòngzhì	to control
2. 改编	（动）	gǎibiān	to adapt
3. 作弊		zuò bì	to cheat in the exam
4. 菠菜	（名）	bōcài	spinach
5. 维生素	（名）	wéishēngsù	vitamin
6. 农药	（名）	nóngyào	pesticide
7. 污染	（名）	wūrǎn	pollution
8. 应付	（动）	yìngfu	to deal with

补充材料

减　肥（三则）

一

——我妻子想减肥，所以她每天都去骑马。

——结果怎样？

——马在一个月之中瘦了四十公斤。

二

一个胖女人从疗养院发出一封电报：“来此一个月，减肥成绩良好，体重已轻了一半，我什么时候才能回来呢？”

她丈夫回电说：“那就再住一个月吧。”

三

甲：最近我的妻子想减肥，让我每天给她抹电视里说的那种减肥霜。

乙：效果如何？

甲：咳，不到一个月，我瘦了十公斤！

第十九课　“好人老李”的故事

※※

热身话题：

1. 你看到别人有困难时会主动帮他的忙吗？
2. 你相信“好心有好报”这句话吗？你有过“好心没好报”的经历吗？

※※

大卫认识了一个姓李的朋友。用大卫的话说，那可是一个大大的好人。他喜欢帮助别人，可也常常被人误会，就像他自己说的："好心没好报"。大家都叫他"好人老李"，大卫也这么叫他。他常和大卫聊天儿，也常说起"好人难做"的委屈，而且总是说："这种事以后我再也不管了！"可下一次去聊天儿，他又有新故事了，让大卫觉得很有意思。下面就是老李讲给大卫的几件事。

"没伤着就算完了？"

你说，世界上有这么不讲理的吗？那天我下班骑车回家，刚从单位大门里出来，就看见一个骑车的把一个过马路的小男孩儿撞倒了。那骑车的一看周围没什么人，骑上车就跑了。我赶快跑过去，把小男孩儿扶起来，上下看了看，还好，没伤着，就是裤子破了。我想，好事做到底吧，就把这孩子送回家了。可谁知碰上个不讲理的家长，硬说是我把她的孩子撞了，我跟她说不清楚，只好说："好，好，就算是我撞的，行了吧？好歹孩子没伤着。"你知这位妈妈说什么？"没伤着？没伤着就算完了？赔我们孩子的裤子！不赔别想走！"结果，好人没当成，倒赔了一条裤子钱。你说这叫什么事啊！

"你这不是成心跟我过不去吗？"

这当领导的，就得有当领导的样儿，你说对不？我们那位科长可不行，平时穿衣服就没个样儿，常让年轻人取笑，还不长记性。前几天科长召集大家开会，我去晚了。等我办完事走进办公室的时候，我们这位科长正站在那儿给大家讲话呢，可看大家的表情，好像都没注意听他的讲话，一个个在那儿嘀嘀咕咕的。我觉得不对劲儿，抬头一看，好嘛，是他裤子上的拉链没拉上，我说女士们怎么都不敢抬头呢！这也太不像话了！我一急，就提醒了他一句，把他闹了个大红脸。开完会，他叫我留下来，怒气冲冲地对我说："你这不是成心跟我过不去吗？"把我骂了一顿。你说我冤不冤哪？

"跟我们走一趟！"

说起这事来，最让人窝火儿了。我有一个朋友，最近结了婚。他那位在一家歌厅工作，每天下班很晚，都是我那朋友去接她。那天我朋友出差，当天赶不回来，就托我在他那位下班的时候，帮着照应一下。我说："行啊，陪你太太成双成对地在马路上走咱不敢，我就跟在后面暗中保护吧。"到了晚上，他那位下班回家，一个人往家走，我就悄悄地跟在后边。开始她还没觉出什么，后来她感觉到有人跟着她，就越走越快了。到了一个小胡同里，她一看前后左右没别人，吓得拼命往前跑，我想她肯定误会了，就一边追，一边喊："哎，别跑！你听我说呀！"这一喊不要紧，她跑得更快了，正好胡同口来了俩警察，她冲着警察就喊："救命啊！有坏人追我！"这下我可惨了，警察一把抓住我说："跟我们走一趟！"也不听我解释，硬把我带到公安局去了。到了那儿，又是看证件，又是打电话，直到我们单位的领导替我担保，警察才把我放了，回到家都后半夜了。更要命的是这事不知被谁传出来了，说我半夜跟踪年轻姑娘，不管我怎么解释，人家都似信非信地说一句："是吗？"我真是跳进黄河也洗不清了。

"要是不贴布告你能拿出来吗？"

这事说起来也怪我。那天我回家早，刚到家，就下起雨来了。我见院子里晾着几件衣服，不知是谁家的——人家还都没下班呢！我怕衣服让雨淋湿了，就把衣服摘下来拿回我家，心想待会儿等大家回来了，问清楚是谁家的再给他送去。可事情就是那么巧，我接到老家来的一封电报，说我母亲病重。我急急忙忙回老家了，也就把收衣服的事给忘了。过两天回来，见院子里贴着一张布告，说本院发现小偷，专偷晾在院子里的衣服，请大家提高警惕。我一看又误会了，赶忙把衣服拿出来，问是谁家的。嘿！你没见那一个个的表情呢，好像都在对我说："要是不贴布告你能拿出来吗？"你说，以后这事咱还能管吗？

词　语

1. 讲理		jiǎng lǐ	to be reasonable
2. 撞	（动）	zhuàng	to bump against; to knock down
3. 扶	（动）	fú	to help sb. up; to support
4. 硬	（副）	yìng	stubbornly
5. 好歹	（副）	hǎodǎi	in any case
6. 赔	（动）	péi	to pay for
7. 成心	（形）	chéngxīn	on purpose
8. 取笑	（动）	qǔxiào	to make fun of; to laugh at
9. 召集	（动）	zhàojí	to call together
10. 嘀嘀咕咕		dídigūgū	to whisper
11. 不对劲儿		búduìjìnr	abnormal; queer
12. 拉链	（名）	lāliànr	zipper
13. 提醒	（动）	tíxǐng	to remind
14. 怒气冲冲		nùqìchōngchōng	furiously
15. 冤	（形）	yuān	wrong; injustice

16. 窝火儿		wō huǒr	to be simmering with rage
17. 托	（动）	tuō	to ask
18. 照应	（动）	zhàoying	to take care of
19. 成双成对		chéngshuāng chéngduì	in pairs
20. 暗中		ànzhōng	in secret
21. 保护	（动）	bǎohù	to protect
22. 悄悄	（副）	qiāoqiāo	quietly; stealthily
23. 拼命		pīn mìng	desperately
24. 证件	（名）	zhèngjiàn	certificate
25. 担保	（动）	dānbǎo	to assure; to guarantee
26. 似信非信		sìxìn fēixìn	not quite convinced
27. 布告	（名）	bùgào	notice
28. 晾	（动）	liàng	to dry by airing or in the sun
29. 淋（湿）	（动）	lín(shī)	to drench
30. 摘	（动）	zhāi	to take off; to pick
31. 老家	（名）	lǎojiā	hometown
32. 电报	（名）	diànbào	telegram
33. 小偷	（名）	xiǎotōu	thief
34. 偷	（动）	tōu	to steal
35. 警惕	（动）	jǐngtì	to be on guard against

注 释

1. **好心没好报** 做了好事却没有得到好的报答。
2. **公安局** 维护社会治安、公共秩序、交通安全的执法机构，公安人员被称为“警察”。
3. **跳进黄河也洗不清** 指背上了难以解释清楚的罪名，无法使人相信自己的清白。

练 习

（一）

一、用正确的语调朗读下面的句子，并说说老李说这些话时的心情：

1. 你说，世界上有这么不讲理的吗？
2. 我想，好事做到底吧，就把这孩子送回家了。
3. 好，好，就算是我撞的，行了吧？好歹孩子没伤着。
4. 这当领导的，就得有当领导的样儿，你说对不？

5. 这也太不像话了！
6. 你说我冤不冤哪？
7. 说起这事来，最让人窝火儿了。
8. 行啊，陪你太太成双成对地在马路上走咱不敢，我就跟在后面暗中保护吧。
9. 我真是跳进黄河也洗不清了。
10. 这事说起来也怪我。
11. 你说，以后这事咱还能管吗？

二、根据课文回答下面的问题：

1. 被撞孩子的家长为什么让老李赔孩子的裤子？
2. 科长为什么把老李骂了一顿？
3. 警察为什么把老李带到公安局去了？
4. 为什么大家对拿出衣服来的老李那么冷淡？
5. 老李究竟是个什么样的人？

三、请你说说：

1. 你在路上遇到受伤的人会主动去帮助他吗？为什么？
2. 你看到领导身上的毛病会给他指出来吗？用什么方法？
3. 当别人误会了你的好心时你会怎么做？
4. 一个人在别人有了麻烦事的时候不去帮忙，你会认为他自私吗？为什么？
5. 你愿意接受别人的主动帮助吗？

四、复述：

以第三人称的口吻，讲述发生在老李身上的几件事。

（二）

五、替换划线部分的词语，然后各说一句完整的话或用于对话中：

1. 我再也不管了！
   写
   回来
   理你

2. 有这么不讲理的吗？
   开车

卖东西
欺负人

3. 就算是我撞的，行了吧？
扔
弄丢
告诉她

4. 你这不是成心跟我过不去吗？
气我
让她为难
不让我及格

5. 更要命的是这事不知被谁传出来了。
他把护照也丢了
我忘了自己住的是什么饭店
她怀了孕

六、读下面的几组句子，体会划线部分词语的意思，并模仿会话：

1. ①你好歹帮她想个办法呀！
②出国学习一趟不容易，好歹也得把学位拿到手哇！
③你在北京比我强，好歹有个朋友。

2. ①这一忙不要紧，把飞机票落在家里了。
②这一搬家不要紧，把我们两口子都累病了。
③你一句话不要紧，全家人帮你找了一天。

七、回答下列问题，用上下面句子中划线部分的词语：

1. 遇到不讲理的人，你怎么办？
2. 在什么情况下，你觉得最让你窝火儿？
3. 什么时候你会大喊“救命”？
4. 谈一件你似信非信的事。

八、成段表达：

1. 谈谈“好人难做”的社会原因。
2. 举例说说你周围环境中的人际关系。

九、看图说话：

补充词语

1. 冷淡	（形）	lěngdàn	cold；cheerless；indifferent
2. 究竟	（副）	jiūjìng	(used in an interrogative sentence to make further inquiries) on earth
3. 自私	（形）	zìsī	selfish
4. 理	（动）	lǐ	(often used in negative sentences) to pay attention to
5. 为难	（形）	wéinán	to feel embarrassed
6. 护照	（名）	hùzhào	passport
7. 怀孕		huái yùn	to be pregnant
8. 学位	（名）	xuéwèi	academic degree

第二十课　祝你一路顺风

※※

热身话题：

1. 如果你现在要回国，打算给家里人和朋友买些什么礼物？
2. 你现在居住的城市有哪些工艺品商店？试着说出几种你知道的中国工艺品的名称。
3. 你能用汉语说出人们在告别时常说的话吗？

※※

一年的留学生活就要结束了，是走？还是留？来自各国的留学生各有各的打算。这几天大家只要凑到一起，总会谈到这个话题……

（一）我挺舍不得离开这个城市的

玛丽、大卫、田中和安娜在留学生食堂边吃边聊……

玛　丽：大卫，订飞机票了吗？

大　卫：不着急，我打算过一段时间再走。我挺舍不得离开这个城市的，想在这里的美国公司找个工作。你们有什么打算？

玛　丽：我呀，已经决定延长一年，到历史系去进修。安娜呢，大概连期末考试都不想参加了，她的心早就飞到她妈妈那儿去了。

安　娜：玛丽，说句实话，你就不想早点儿回家？这几天你可没少往家里打电话！我着急回去，主要还是为了工作。现在找工作越来越难，我真担心回去后找不到合适的工作。

玛　丽：田中，听说你暑假不回国？

田　中：是啊，我参加了一个大学生社会调查团，到中国的西北地区去做些调查，回来后还得写调查报告呢。

大　卫：安娜，你开始收拾行李了吗？

安　娜：急什么！还早着呢！一提起收拾行李我就头疼。住了一年，东西没少买，乱七八糟什么都有。都带回去吧，有的也没多大用处，可是扔下哪一样我都舍不得。

玛　丽：我也有这种感觉。有些东西，别看它们值不了几个钱，可都有它们的来历呢！看见它们，就会使我想起和它们有关的一个个小故事……

安　娜：看我们的玛丽，说着说着就动感情了。摄像机呢？快把这精彩镜头拍下来！

玛　丽：你呀，开玩笑没够。哎，大卫，我暑假也得回趟国，你说我该给朋友和家里人买些什么好呢？

大　卫：可买的东西有的是呀，茶叶啦，酒啦，工艺品啦，印有校名的T恤衫啦，要是觉得还不够，再带上两只烤鸭……

玛　丽：那能带吗？我最想买的是艺术品，可又不知哪些是有中国特色的。

安　娜：这还不好办？明天我跟你去趟工艺品商店，看什么好买什么不就行了？

玛　丽：这倒是个好主意。

（二）我想买一些有中国特色的工艺品

玛丽和安娜在商店选购工艺品……

售货员：请问您想买点儿什么？
玛　丽：我想买点儿有中国特色的工艺品，回国以后送给家里人和朋友，您看我买什么好？
售货员：（边指边说）那要看您喜欢什么了。我看很多外国朋友喜欢买一些字画；也有的喜欢买印章或者买下几块印石再刻上朋友的名字；我们这儿的文房四宝挺受欢迎的。那边的小工艺品，像泥人、彩蛋、剪纸都可以当作礼物送给朋友。
安　娜：这些带蓝花的笔呀，筷子呀挺漂亮的。
售货员：这些都是景泰蓝制品，送人是再理想不过的了。
玛　丽：我给妈妈买点儿什么好呢？
售货员：买条真丝围巾怎么样？或者买件手工刺绣的衬衫？还有这些玉石做的首饰，都是抢手货。
安　娜：要买的东西太多了！
玛　丽：我觉得哪一样都值得买，真想把整个商店都搬回家去。
安　娜：别光想着买，钱带够了没有哇？

（三）后会有期

安娜要回国了，她的朋友们为她送行……

安　娜：天天盼着回家，真到了这一天，又舍不得走了。
田　中：大家都会有这一天的。
山　本：是啊，天下没有不散的筵席，以后咱们多联系吧。
玛　丽：想起一年前咱们谁也不认识谁，竟会在中国成为朋友，真像一场梦啊！安娜，真不想让你离开我们。
大　卫：看你，人家心情刚好一点儿，你又来惹她。
王　峰：安娜，还记得“有缘千里来相会”那句话吗？我想咱们以后会有机会见面的。
安　娜：是啊，以后你们谁去英国，可一定得告诉我呀！
大　卫：那是当然。安娜，车来了，快上车吧，咱们后会有期。

（安娜和玛丽、大卫等一一吻别。走到王峰身边时，王峰慌忙伸出右手）

王　峰：咱们还是握手吧。

安　娜：（笑了一下，和王峰握手）希望能在我的家乡再见到你。

王　峰：也欢迎你再来中国。

安　娜：（转身上了车，从车窗里伸出手来）再见！别忘了给我写信。

众　人：再见！祝你一路顺风！

词　语

1.	一路顺风		yílùshùnfēng	to have a pleasant journey
2.	延长	（动）	yáncháng	to extend
3.	暑假	（名）	shǔjià	summer vacation
4.	报告	（名）	bàogào	report
5.	行李	（名）	xíngli	luggage
6.	乱七八糟		luànqībāzāo	in a mess
7.	摄像机	（名）	shèxiàngjī	video camera
8.	工艺品	（名）	gōngyìpǐn	arts and crafts
9.	T 恤衫	（名）	tīxùshān	T shirt
10.	特色	（名）	tèsè	characteristic
11.	印章	（名）	yìnzhāng	seal
12.	印石	（名）	yìnshí	chop
13.	刻	（动）	kè	to engrave
14.	泥人	（名）	nírén	clay figurine
15.	彩蛋	（名）	cǎidàn	painted eggshell
16.	剪纸	（名）	jiǎnzhǐ	paper-cut
17.	景泰蓝	（名）	jǐngtàilán	*cloisonn*é
18.	真丝	（名）	zhēnsī	real silk
19.	围巾	（名）	wéijīn	scarf
20.	手工	（名）	shǒugōng	by hand；manual
21.	刺绣	（名）	cìxiù	embroidery
22.	衬衫	（名）	chènshān	shirt
23.	玉石	（名）	yùshí	jade
24.	首饰	（名）	shǒushì	woman's personnal ornaments；jewelry
25.	抢手		qiǎngshǒu	popular；in demand
26.	后会有期		hòuhuìyǒuqī	to meet again some day
27.	盼	（动）	pàn	to hope for
28.	惹	（动）	rě	to provoke

29. 吻别　　　　　　wěn bié　　　　to kiss good-bye
30. 慌忙　（形）　　huāngmáng　　　in a great rush

注　　释

1. **文房四宝**　指笔、墨、纸、砚，是过去书房中常备的四种文具。
2. **天下没有不散的筵**（yán）**席**　比喻什么事都有结束的时候。
3. **有缘**（yuán）**千里来相会**　指人与人之间如果有相遇的机会，即使相隔千里也会见面的。

练　　习

（一）

一、根据课文回答问题：

1. 安娜为什么着急回国？
2. 安娜为什么一提起收拾行李就头疼？
3. 哪些东西适合作为礼物带回去？
4. 哪些工艺品是有中国特色的？

二、请你说说：

1. 如果你想留在中国工作，你想选择什么工作？为什么？
2. 当你面对一大堆留也没用、扔又可惜的东西时，你会怎么办？
3. 你在中国留学期间，买了哪些有中国特色的工艺品？
4. 你认为什么礼物送给家里人或朋友最合适？
5. 谈谈你们国家的人在告别时的习惯，说说与中国人的习惯有什么不同？

（二）

三、替换下列划线部分的词语：

1. 她的心早就飞到她妈妈那儿去了。
2. 说句实话，你就不想早点儿回家？
3. 一提起收拾行李我就头疼。
4. 乱七八糟什么都有。
5. 你呀，开玩笑没够。
6. 送人是再理想不过的了。

四、完成下面的对话，然后用上带点儿的词语做模仿会话练习：

1. 甲：你什么时候结婚？
   乙：还早着呢！____________________。
2. 甲：这些小工艺品我都挺喜欢的，怎么办？
   乙：这还不好办？____________________。
3. 甲：你身体不好，可以打个电话让他们把饭送到你的房间来。
   乙：这倒是个好主意，____________________。
4. 甲：这是我们最后的聚会了，想起来心里挺难过的。
   乙：天下没有不散的筵席，____________________。
5. 甲：他帮你那么大的忙，你应该有所表示。
   乙：那是当然！____________________。

五、下面的笑话运用了夸张的艺术手法，请根据所给的题目进行大胆的想像与夸张：

两个去过北方的人碰到一起，都说自己去过的地方是世界上最冷的地方。一个说："我去的那个地方，点着蜡烛以后，蜡烛的火苗都被冻住了，怎么吹也吹不灭。""那算什么！"另一个说："我去过的地方才冷呢！在那儿，话刚说出口就冻成了冰块儿。我们只好把它们放到锅里炒一炒，才知道说了些什么。"

1. 说夏天的热；
2. 说汽车开得快；
3. 说一个人的个子高；
4. 自选题目。

六、成段表达：

1. 谈谈你一年来在学习汉语方面的收获。
2. 你的中国朋友要去你们国家留学，请你告诉他应该注意的几个问题。

补充词语

1. 蜡烛	（名）	làzhú	candle
2. 火苗	（名）	huǒmiáo	flame
3. 灭	（动）	miè	(of a light, fire, etc.) go out

口语知识（四）

1. 数词在口语语言中的运用

提到数词在口语语言中的运用，你也许会不以为然，不就是“一、二、三……”吗？有什么难的！其实，这里面大有学问。数词作为独立音节存在的时候，它只表示一些数目。但是，当它与其它音节组成词语或在句子中使用的时候，有时候就不是原来的数目上的概念，而具有其它含义了。

汉语中含有数词的词语很多，有的数词保留着原来的含义，像“一举两得（做一件事情，得到两种收获）”、“百闻不如一见（听到一百次不如亲眼看到一次）”、“一语双关（一句话含有表面和暗含的两种意思）”、“三角恋爱（一个男子和两个女子或两个男子与一个女子这三者之间存在恋爱关系）”等等。但是，许多词语中的数词，已经不再表示某一数目，而具有特殊的含义了。例如：“五花八门”比喻花样繁多或变化多端，在这里，数词“五”和“八”表示数目多而不是确指五种花样和八个门类；“六亲不认”比喻对任何人都不讲情面，这里的数词“六”是泛指所有的；“十全十美”指的是各方面都非常完美，没有缺陷，“乱七八糟”形容混乱，这里面的数词都不能从表面上理解它的含义。

在汉语口语中，一些数词与其它词语组合成熟语，这里面的数词更不能理解成简单的数字。下面句子中划线部分是带数词的惯用语，你能猜出它们的意思吗？

①做这样的工作，他可是一把好手。

②到现在还没修好，我看你也是个二把刀。

③这些人干活儿真二五眼，全都弄错了！

④你怎么能在姑娘面前开这样的玩笑？真二百五！

⑤注意自己的钱包！这车上可有三只手！

如果你过去没有学过这些词语，你能猜出“一把好手”是指在某一方面“能干的人”吗？你会想到“二把刀”是“技术不高（的人）”的意思吗？“二五眼”指的是“能力差”；二百五是“傻气”的意思；三只手是说“小偷儿”，这些答案和你刚才的猜想有什么区别吗？这些词语中的数词就不能简单理解为数字了。

有些固定搭配的数词在词语或句子中，有特定的含义。请看下面的例子：

①他三天两头给我打电话。（三……两……）

②这事三言两语怎么说得清楚呢？（三……两……）

③老师三番五次纠正她的错误，她还是改不了。（三……五……）

④我过个三年五载就回来。（三……五……）

⑤这个消息很快传遍祖国的四面八方。（四……八……）

⑥五颜六色的气球飞上了天。（五……六……）

⑦那件事我知道得一清二楚。（一……二……）

我们具体来分析一下：①句中的“三……两……”是强调次数多，而②句中的“三……两……”显然是强调数量少；③句中的“三……五……”是强调次数多，而④句中的“三……五……”显然是强调数量少；⑤句中的“四……八……”表示“所有、各个（方面）”；⑥句中的“五……六……”表示的是“各种（颜色）”；⑦句中的“一……二……”带有强调的因素。

下面这些数词的搭配似乎更具有规律性：

（1）……三……四

a）他这个人总爱丢三落四。（形容马虎或爱忘事）

b）你用不着低三下四去求他。（形容低人一等）

c）你就答应了吧，别再推三阻四的了。（以各种借口推托）

d）不准你和这些不三不四的人在一起！（不正派）

（2）七……八……（……七……八，……七八……）

e）大家七嘴八舌地议论起来。

f）你家七大姑八大姨的，我都不知道该怎么称呼。

g）你怎么净看这些乌七八糟的书？

h）他们横七竖八地躺在那里，都睡着了。

从例句看，与“……三……四”搭配起来构成的词语基本上都是贬义的；而与“七……八……”搭配起来构成的词语则都表示杂乱。

还有一种现象，就是很多数词与其它词语搭配起来以后，都表示“多”这个概念。例如：三令五申、五光十色、七拼八凑、九牛一毛等等。

另外还要谈到的，就是一些数词在口语中组成一种数学或珠算公式，但是表达出来的内容却引申为其它含义。如：“三下五除二（形容做事及动作快）”、“二一添作五（双方平分）”、“一退（推）六二五（把责任等都推给别人）”、“不管三七二十一（不顾一切）”等等。

最后要说明的是，一些带有数词的词语是从古代流传下来的，它们的文化特征比较明显。如：“三个臭皮匠，赛过诸葛亮”、“五十步笑百步”、“十万八千里”等都是有典故的。这就需要我们多了解中国文化知识，否则很难掌握这部分词语。

2. 动物在口语常用语中的喻义

人们在日常会话中，常常会谈到一些抽象的概念。为了使人对这些概念有生动、形象的理解，人们往往运用比喻这个修辞手法。而动物就自然而然地成为比喻句中的主人公。

动物和人类共同生活在一个地球上。在长期的共同生活中，人们对动物的习性、特征有了深入的了解。例如谈到凶猛，人们很自然就会想到狮子、老虎、豹子；谈到老实，人们也会想到绵羊、牛；谈到机灵人们会想到猴子；谈到胆小人们会想到兔子；……这样，当人们谈到人的行为、性格等现象时，往往就很自然地以动物来比喻人，而且逐步形成规律。

牛、羊、鸡、狗等是和人类生活最紧密的，它们的习性也最为人们所了解，因此，用这些动物对人类生活现象进行比喻的词语最多。举例来说，牛给人的印象是老实、勤恳、力气大，可有时脾气也大，人们就把勤勤恳恳工作的人称为“老黄牛”，说力气大的人有一股“牛劲儿”，说脾气大的人是“牛脾气”；羊给人的印象是听话、胆小、任人宰割，于是听话的人就被说成是“小绵羊”，被冤枉的人就成了“替罪羊”了；鸡在人们的生活中不被看重，因此，不值得一提的小事被说成是“鸡毛蒜皮”，心胸狭隘的人被说成是“小肚鸡肠”，吓呆了的人被说成“呆若木鸡”；狗在现代人的生活中成了宠物，而在过去，人们养狗只是为了看家，狗在人们的心目中是在主人的指使下对外人要威风，成了人们讨厌的对象。因此，人们在骂人的时候，常带一个“狗”字。如：

①回你的狗窝去吧！

②饶你一条狗命。

③你简直是一条疯狗！

④这篇文章是谁写的？狗屁不通！

⑤你这个狗杂种！

⑥这对狗男女，可害了不少人。

除此之外，在汉语惯用语中，凡是带“狗”字的词语，差不多都是贬义词。我们举一些例子看一看：

①他只不过是人家的狗腿子。（给有势力的坏人作帮凶，欺负别人）

②这些狼心狗肺的家伙，真该把他们抓起来。（比喻心肠狠毒或忘恩负义）

③他们狗急跳墙，会干出这样的事来的。（比喻走投无路时不顾一切地行动）

④他们狗仗人势，欺负百姓。（比喻仗势欺人）

⑤别听他的，狗嘴里吐不出象牙。（坏人嘴里说不出好话）

⑥他呀，狗改不了吃屎。（坏毛病永远改不了）

除了上面列举的动物之外，还有一些用其它动物作比喻的常用语。比如：把动作不灵活的人说成“笨鸭子”；把勾引男人的女人说成“狐狸精”；把不聪明的人骂成“蠢驴”；把爱睡懒觉的人说成“懒猫”；把很瘦的人比喻成“瘦猴”；把忘恩负义的人骂成是“白眼儿狼”；把猖狂不了多久的人说成是“秋后的蚂蚱”……

看到这里，你也许会说：哎呀，怎么都是贬义词，难道就没有赞美的词语吗？当然也有。比如：把跳水运动员、飞行员等比喻成“雄鹰”；称健壮憨厚的孩子“虎头虎脑”、“虎里虎气”；称女游泳运动员为“美人鱼”；称活泼可爱的孩子们为“春天的燕子”；把女歌星比作“百灵鸟”；……

除了惯用语以外，在口语中，人们还直接用动物来比喻人的某种行为，这种比喻方法常用上“像……（一样）”、“跟……似的”、“比……还……”等词语。我们来看一些例子：

a）这小伙子，像牛一样壮。

b）你嗓门儿大得像头驴。

c）弟弟丢了书包，急得像热锅上的蚂蚁。

d）他像兔子似地一下子冲了出去。

e）你怎么跟猪似的，就知道吃。

f）他呀，身上没长毛，长毛比猴子还灵。

g）我们一个个都淋成了“落汤鸡”。

练　　习

一、你能说出下面这些词语的准确含义吗？

一无所有	三长两短	一团糟	一个鼻孔出气
说一不二	数一数二	没二话	八竿子打不着
一刀两断	三心二意	一了百了	一碗水端平
十拿九稳	八九不离十	一是一，二是二	

二、请你说说：

1. 在你的国家，什么数字是吉利的？什么数字是不吉利的？
2. 你最喜欢的数字是哪一个？为什么？
3. 说说你的国家在数词上与汉语有什么区别？
4. 谈谈你们国家的人在学习汉语数词时容易犯的错误。

三、请找出汉语中像“七……八……”、“……三……四”这样有固定数词搭配的词语，并各举出例子来。

四、请说出下列词语的准确含义：

狼吞虎咽　　狐朋狗友　　虎头蛇尾　　纸老虎　　杀鸡给猴看
笨鸟先飞　　鸡飞蛋打　　照猫画虎　　驴唇不对马嘴

五、用“像……（一样）”、“跟……似的”各说五个用动物来比喻的句子。

六、你们国家的人是怎么拿动物作比喻的，请举例说明。

口语常用语（四）

旅游常用语

出外旅游可以增长见识，丰富阅历，同时也是一件比较麻烦的事，要应付不少突然出现的情况。

（1）订票

无论是打电话预订还是自己到售票窗口去买，都可以这样表达：

①请问，还有到广州去的船票吗？

②我想买（订）一张去上海的火车票。

如果你会多说两句，也许你的这些愿望就可以得到满足：

①我想要靠窗户的座位。

②您给我换一张下铺好吗？

③有没有二等舱的？

有时你的运气不好，你排了半天队，好容易排到了窗口，售票员一声“没啦!”就常常使你没了主意。那么，下面这些话也许就成为必要的了：

①请问，下一趟车是几点的？

②有没有第二天的？

③别的车次有去西安的吗？

④能不能等到退票？

⑤还有什么地方可以买到去天津的火车票？

⑥什么时候卖 20 号的预售票？

有时你急着要赶回你的大学，可买不到车票，你也可以向售票员说明你的特殊情况，请她帮助你想想办法：

①您能帮我想想办法吗？我必须在 10 号以前回我们学校。

②明天有一年一次的考试，我无论如何得赶回去。

③我已经退了饭店的房间，要是走不了我就没地方住了。

④我身上带的钱不够交房费了，请您一定帮我解决一下。

也许你会得到售票员的同情，那么就会有这样的机会，她提出某种解决办法："您看这样行不行，……"

（2）乘机（船、车）

当你乘坐飞机、轮船或者火车之前，也许你还要解决一下下面的问题：

①请问，在哪儿托运行李？

②我的行李超重了吗？

③从哪个码头上船呀？

④在哪个候车室等候？

⑤去南京的火车开始检票了吗？

⑥我的车票呢？

当你坐上了飞机、轮船或者火车的时候，也并不一定就可以闷头睡大觉了。也许还会遇到一些小麻烦，需要你再说几句：

①对不起，这好像是我的铺位，您是不是坐错了？

②很抱歉，我不能和您换座（铺）位。

③在哪儿可以打开水？

④我有点儿晕车（船、机），您能帮我找点儿药吗？。

⑤您能给我找点儿报纸来看吗？

⑥请问，这是谁的包哇？能挪一挪吗？谢谢。

（3）订（退）房间

①我要订一个单（双）人房间。

②如果那位旅客愿意的话，我可以跟他住一个房间。

③这是我的学生证，还有居留证。

④你们这儿的房间一天 24 小时都供应热水吗？

⑤我们一共 12 个人，4 个男的，8 个女的，8 号下午到，请给我们安排 6 个房间。

⑥对不起，我们有一个同伴不能来了，能不能退一个房间？

⑦我们今天上午退房，请给我们结一下儿帐。

（4）观光

中国有句俗话："鼻子下面有嘴。"出外旅行，有时需要多问，免得造成不必要的麻烦。

①有导游图吗？（了解可以游览的地方）

②这个公园有什么好玩的吗？（看看是否使自己感兴趣）

③白马寺今天开放吗？（免得白跑一趟）
④这儿能拍照吗？（免得误拍被罚）
⑤一天去哪几个地方合适？（免得走冤枉路）

如果你参加的是旅游团体，就要注意下面几个问题：
①几点集合？
②在哪儿上车？
③我早上起不来，请叫醒我。

总词汇表

（数字表示课文序号）

A

挨	（动）	ái	5
暗中		ànzhōng	19

B

拔河		bá hé	10
百科全书		bǎikēquánshū	7
摆	（动）	bǎi	3
拜访	（动）	bàifǎng	15
扳	（动）	bān	6
宝贝	（名）	bǎobèi	12
保护	（动）	bǎohù	19
保守	（形）	bǎoshǒu	17
报道	（名）	bàodào	10
报告	（名）	bàogào	20
暴露	（动、形）	bàolù	17
悲观	（形）	bēiguān	18
背心	（名）	bèixīnr	17
背影	（名）	bèiyǐng	11
呗	（助）	bei	1
本来	（副）	běnlái	7
本事	（名）	běnshi	3
甭	（副）	béng	6
蹦	（动）	bèng	4
比划	（动）	bǐhua	2
比基尼	（名）	bǐjīní	17
比试	（动）	bǐshi	2
比喻	（名）	bǐyù	13
笔记本	（名）	bǐjìběn	15
毕业		bì yè	14

避	（动）	bì	6
标	（动）	biāo	7
瘪	（形）	biě	3
别扭	（形）	bièniu	17
冰激凌	（名）	bīngjīlíng	18
博士	（名）	bóshì	1
补	（动）	bǔ	3
不对劲儿		búduìjìnr	19
不以为然		bùyǐwéirán	5
不知不觉		bùzhī bùjué	5
布告	（名）	bùgào	19

C

裁剪	（动）	cáijiǎn	4
裁判	（名）	cáipàn	8
彩蛋	（名）	cǎidàn	20
参谋	（动）	cānmóu	7
惭愧	（形）	cánkuì	1
操心		cāo xīn	9
层次	（名）	céngcì	12
差错	（名）	chācuò	4
缠	（动）	chán	12
产妇	（名）	chǎnfù	12
长寿	（形）	chángshòu	18
场合	（名）	chǎnghé	17
场所	（名）	chǎngsuǒ	4
畅销	（动）	chàngxiāo	7
唱反调		chàng fǎndiào	18
吵	（动）	chǎo	4
吵吵嚷嚷		chǎochǎo rǎngrǎng	16
吵架		chǎo jià	12
（车）带	（名）	（chē）dài	3
衬衫	（名）	chènshān	20
趁	（介）	chèn	12
撑	（动）	chēng	5
成果	（名）	chéngguǒ	10
成家		chéng jiā	12
成双成对		chéngshuāng chéngduì	19

成心	（形）	chéngxīn	19
乘客	（名）	chéngkè	6
尺寸	（名）	chǐcùn	17
冲	（动）	chōng	10
冲锋陷阵		chōngfēng xiànzhèn	8
抽空儿		chōu kòngr	4
出差		chū chāi	14
出力		chū lì	10
出色	（形）	chūsè	14
初中	（名）	chūzhōng	11
穿着	（名）	chuānzhuó	17
床单	（名）	chuángdān	12
闯荡	（动）	chuǎngdàng	14
创刊		chuàng kān	18
吹	（动）	chuī	8
刺儿	（名）	cìr	2
刺绣	（名）	cìxiù	20

D

搭	（动）	dā	6
搭话		dā huà	7
搭配	（动）	dāpèi	17
答案	（名）	dá'àn	18
打	（介）	dǎ	3
打败		dǎ bài	15
打扮	（名）	dǎbàn	15
打包		dǎ bāo	5
打晃儿		dǎ huàngr	18
打架		dǎ jià	5
打交道		dǎ jiāodao	11
大伙儿	（名）	dàhuǒr	18
呆	（动）	dāi	14
代课		dài kè	4
代替	（动）	dàitì	12
待遇	（名）	dàiyù	13
担保	（动）	dānbǎo	19
当做	（动）	dàngzuò	1
到……为止		dào……wéizhǐ	12

嘀嘀咕咕		dídigūgū	19
电报	（名）	diànbào	19
惦记	（动）	diànjì	12
丁字路口		dīngzìlùkǒu	3
订阅	（动）	dìngyuè	18
动不动		dòngbudòng	3
动画片儿	（名）	dònghuàpiānr	16
动人	（形）	dòngrén	15
动员	（动）	dòngyuán	18
兜风		dōu fēng	1
豆沙	（名）	dòushā	15
独立	（动）	dúlì	6
堵（车）	（动）	dǔ（chē）	3
赌场	（名）	dǔchǎng	4
队伍	（名）	duìwu	8
对方	（名）	duìfāng	8
多半儿	（副）	duōbànr	3
多少	（副）	duōshǎo	7
多心		duō xīn	8

E

噩梦	（名）	èmèng	16
儿媳	（名）	érxí	16

F

发愁		fā chóu	12
发函		fā hán	14
发泄	（动）	fāxiè	4
法制	（名）	fǎzhì	13
凡是	（连）	fánshì	3
烦恼	（名）	fánnǎo	4
繁华	（形）	fánhuá	13
犯规		fàn guī	8
放学		fàng xué	11
飞舞	（动）	fēiwǔ	8
费用	（名）	fèiyòng	9

分别	（副）	fēnbié	7
分工		fēn gōng	14
分配	（动）	fēnpèi	14
分散	（形）	fēnsàn	9
分摊		fēntān	5
否则	（连）	fǒuzé	4
扶	（动）	fú	19
服装	（名）	fúzhuāng	15
负担	（动、名）	fùdān	11
副	（形）	fù	5
副	（量）	fù	15
富裕	（形）	fùyù	9

G

改革	（动）	gǎigé	11
盖	（动）	gài	2
概念	（名）	gàiniàn	1
感人	（形）	gǎnrén	16
高档	（形）	gāodàng	9
高跟鞋	（名）	gāogēnxié	17
高山反应		gāoshānfǎnyìng	1
高速公路	（名）	gāosùgōnglù	9
高血压	（名）	gāoxuèyā	18
个性	（名）	gèxìng	17
工具书	（名）	gōngjùshū	7
工艺品	（名）	gōngyìpǐn	20
公正	（形）	gōngzhèng	13
功夫	（名）	gōngfu	2
购买	（动）	gòumǎi	8
古典	（形）	gǔdiǎn	7
鼓掌		gǔ zhǎng	12
故意	（形）	gùyì	6
顾不上		gùbushàng	6
怪	（形）	guài	7
怪……的		guài……de	16
关照	（动）	guānzhào	1
冠军	（名）	guànjūn	8
惯	（动）	guàn	6

光彩	（形）	guāngcǎi	11
光临	（动）	guānglín	5
广告	（名）	guǎnggào	16
规划	（动）	guīhuà	13
柜台	（名）	guìtái	9
过时	（形）	guòshí	16

H

哈欠	（名）	hāqian	2
行	（名）	háng	3
好歹	（副）	hǎodǎi	19
好奇	（形）	hàoqí	9
好	（动）	hào	4
嗬	（叹）	hē	5
合唱	（名）	héchàng	10
合格	（形）	hégé	17
合资		hézī	4
何必	（副）	hébì	18
和气	（形）	héqi	6
和善	（形）	héshàn	13
嘿	（叹）	hēi	6
狠	（形）	hěn	13
哄	（动）	hǒng	12
红火	（形）	hónghuo	5
红烧肉	（名）	hóngshāoròu	18
红枣	（名）	hóngzǎo	15
后悔	（动）	hòuhuǐ	5
后会有期		hòuhuìyǒuqī	20
呼吁	（动）	hūyù	11
蝴蝶	（名）	húdié	12
户口	（名）	hùkǒu	14
华侨	（名）	huáqiáo	15
划（船）	（动）	huá（chuán）	15
画眉	（名）	huàméi	2
怀念	（动）	huáiniàn	15
怀疑	（动）	huáiyí	17
患者	（名）	huànzhě	18

荒凉	（形）	huāngliáng	9
慌忙	（形）	huāngmáng	20
会员	（名）	huìyuán	10
活泼	（形）	huópo	9

J

鸡蛋黄	（名）	jīdànhuáng	18
纪念	（动）	jìniàn	15
忌	（动）	jì	18
妓院	（名）	jìyuàn	4
既然	（连）	jìrán	5
既……又……		jì……yòu……	10
加班		jiā bān	14
加强	（动）	jiāqiáng	13
加油		jiā yóu	8
尖	（形）	jiān	8
尖子	（名）	jiānzi	14
坚决	（形）	jiānjué	12
减轻	（动）	jiǎnqīng	11
剪纸	（名）	jiǎnzhǐ	20
简历	（名）	jiǎnlì	14
见外		jiànwài	10
见笑		jiànxiào	11
建	（动）	jiàn	10
健美裤	（名）	jiànměikù	17
讲理		jiǎng lǐ	19
交际	（动）	jiāojì	4
角度	（名）	jiǎodù	13
觉	（名）	jiào	2
接收	（动）	jiēshōu	10
街头	（名）	jiētóu	10
街心公园	（名）	jiēxīn gōngyuán	13
节奏	（名）	jiézòu	13
结帐		jié zhàng	5
届	（量）	jiè	14
借口	（名）	jièkǒu	14
尽力	（副）	jìn lì	11
尽情	（副）	jìnqíng	1

经商		jīng shāng	5
惊奇	（形）	jīngqí	5
惊人	（形）	jīngrén	13
井	（名）	jǐng	13
景泰蓝	（名）	jǐngtàilán	20
警惕	（动）	jǐngtì	19
净	（副）	jìng	6
竞争	（动）	jìngzhēng	7
竟	（副）	jìng	11
就	（介）	jiù	12
居住	（动）	jūzhù	15
局促不安		júcù bù'ān	13
拒载		jù zǎi	6
剧团	（名）	jùtuán	10
聚会		jùhuì	14
捐	（动）	juān	1
捐献	（动）	juānxiàn	10
军人	（名）	jūnrén	9

K

卡通	（名）	kǎtōng	7
开	（动）	kāi	3
开眼		kāi yǎn	1
考证	（动）	kǎozhèng	18
可气	（形）	kěqì	18
刻	（动）	kè	20
捆	（动）	kǔn	7

L

垃圾堆	（名）	lājīduī	3
拉链	（名）	lāliàn	19
落	（动）	là	16
懒	（形）	lǎn	2
老百姓	（名）	lǎobǎixìng	10
老家	（名）	lǎojiā	19
乐儿	（名）	lèr	2

晾	（动）	liàng	19
了不得		liǎobude	8
临	（介）	lín	9
淋（湿）	（动）	lín（shī）	19
零件	（名）	língjiàn	3
领养	（动）	lǐngyǎng	12
另眼相看		lìngyǎnxiāngkàn	8
遛	（动）	liù	2
笼子	（名）	lóngzi	2
楼梯	（名）	lóutī	18
露	（动）	lòu	5
录用	（动）	lùyòng	14
乱七八糟		luànqībāzāo	20
论	（介）	lùn	3
锣鼓	（名）	luógǔ	8
落后	（形）	luòhòu	11
绿地	（名）	lǜdì	13

M

麻将	（名）	májiàng	4
马拉松	（名）	mǎlāsōng	
埋	（动）	mái	11
满足	（动）	mǎnzú	11
忙活	（动）	mánghuo	3
忙碌	（形）	mánglù	10
茅草	（名）	máocǎo	9
闷	（动）	mēn	8
闷	（形）	mèn	16
腼腆	（形）	miǎntiǎn	16
面料	（名）	miànliào	17
面谈	（动）	miàntán	14
名不虚传		míngbùxūchuán	8
名片	（名）	míngpiàn	5
名声	（名）	míngshēng	6
名著	（名）	míngzhù	7
模范	（名）	mófàn	14
末尾	（名）	mòwěi	7
模样	（名）	múyàng	11

N

耐烦	（形）	nàifán	16
耐心	（形）	nàixīn	1
闹别扭		nào bièniu	13
内地	（名）	nèidì	9
泥人	（名）	nírén	20
泥	（名）	ní	9
尿	（动）	niào	12
宁可	（连）	nìngkě	3
牛仔裤	（名）	niúzǎikù	17
农活儿	（名）	nónghuór	9
怒气冲冲		nùqìchōngchōng	19
糯米	（名）	nuòmǐ	15

P

趴下		pāxià	10
排练	（动）	páiliàn	10
盼	（动）	pàn	20
培养	（动）	péiyǎng	16
赔	（动）	péi	19
佩服	（动）	pèifú	5
盆	（名）	pén	3
烹调	（动）	pēngtiáo	4
脾气	（名）	píqi	5
偏见	（名）	piānjiàn	14
片子	（名）	piānzi	16
拼命		pīn mìng	19
贫困	（形）	pínkùn	10
频道	（名）	píndào	16
平等	（形）	píngděng	14
平和	（形）	pínghé	13
平均	（形）	píngjūn	11
破坏	（动）	pòhuài	13
破（记录）	（动）	pò（jìlù）	8
扑	（动）	pū	2
扑克	（名）	pūkè	4

铺	（名）	pù	3

Q

期限	（名）	qīxiàn	14
期	（量）	qī	18
欺负	（动）	qīfu	12
乞丐	（名）	qǐgài	17
气功	（名）	qìgōng	2
气话	（名）	qìhuà	13
气门心	（名）	qìménxīnr	3
气派	（形）	qìpài	1
气球	（名）	qìqiú	18
谦虚	（形）	qiānxū	1
欠	（动）	qiàn	5
歉意	（名）	qiànyì	13
抢手		qiǎngshǒu	20
悄悄	（副）	qiāoqiāo	19
桥牌	（名）	qiáopái	4
巧克力	（名）	qiǎokèlì	10
亲	（动）	qīn	12
庆祝	（动）	qìngzhù	8
穷	（形）	qióng	10
球场	（名）	qiúchǎng	8
取笑	（动）	qǔxiào	19
圈儿	（量）	quānr	2
全民	（名）	quánmín	12
拳	（名）	quán	2
缺少	（动）	quēshǎo	13

R

饶	（动）	ráo	1
绕道		rào dào	6
惹	（动）	rě	20
热乎	（形）	rèhu	15
人家	（名）	rénjia	1
人情味	（名）	rénqíng wèir	12
认生	（动）	rènshēng	2
如今	（名）	rújīn	1

入座		rù zuò	5

S

撒（气）	（动）	sā（qì）	13
嗓门儿	（名）	sǎngménr	8
啥	（代）	shá	13
山区	（名）	shānqū	9
伤	（动）	shāng	12
商厦	（名）	shāngshà	13
上班		shàng bān	4
上帝	（名）	shàngdì	6
上瘾		shàng yǐn	4
少说	（副）	shǎoshuō	6
设计	（动）	shèjì	17
社会调查		shèhuì diàochá	14
舍不得		shěbude	1
射（门）	（动）	shè（mén）	8
摄像机	（名）	shèxiàngjī	20
神色	（名）	shénsè	5
生（地）	（形）	shēng（dì）	2
生动	（形）	shēngdòng	13
生意	（名）	shēngyì	5
声誉	（名）	shēngyù	17
省心		shěng xīn	12
尸体	（名）	shītǐ	15
失望	（形）	shīwàng	9
失业		shī yè	11
诗人	（名）	shīrén	15
湿	（形）	shī	12
时装	（名）	shízhuāng	7
使劲		shǐ jìnr	11
世面	（名）	shìmiàn	13
市民	（名）	shìmín	13
事业	（名）	shìyè	14
收看	（动）	shōukàn	13
手工	（名）	shǒugōng	20
首饰	（名）	shǒushì	20

寿命	（名）	shòumìng	18
受惊		shòu jīng	2
受罪		shòu zuì	12
书法	（名）	shūfǎ	15
输	（动）	shū	8
暑假	（名）	shǔjià	20
树枝	（名）	shùzhī	2
耍	（动）	shuǎ	18
衰老	（形）	shuāilǎo	18
帅	（形）	shuài	8
双向		shuāngxiàng	14
水灾	（名）	shuǐzāi	10
顺路		shùnlù	6
似信非信		sìxìn fēixìn	19
素质	（名）	sùzhì	6
虽说	（连）	suīshuō	3
孙女	（名）	sūnnǚ	16

T

台球	（名）	táiqiú	4
抬举	（动）	táiju	8
糖尿病	（名）	tángniàobìng	18
掏	（动）	tāo	15
淘气	（形）	táoqì	9
特色	（名）	tèsè	20
特	（副）	tè	16
踢	（动）	tī	8T
T 恤衫	（名）	tīxùshān	20
提醒	（动）	tíxǐng	19
体会	（名、动）	tǐhuì	6
体谅	（动）	tǐliàng	14
天气预报	（名）	tiānqìyùbào	16
天真	（形）	tiānzhēn	9
添	（动）	tiān	12
挑选	（动）	tiāoxuǎn	14
挑	（动）	tiāo	9
挺	（动）	tǐng	9

同胞	（名）	tóngbāo	15
统一	（动、形）	tǒngyī	17
统治	（动）	tǒngzhì	16
偷	（动）	tōu	19
投资		tóu zī	7
投（江）	（动）	tóu（jiāng）	15
透	（形）	tòu	17
图	（动）	tú	7
徒弟	（名）	túdi	3
土地	（名）	tǔdì	9
团体	（名）	tuántǐ	10
退学		tuì xué	10
托	（动）	tuō	19
拖鞋	（名）	tuōxié	17

W

挖苦	（动）	wāku	5
外星人	（名）	wàixīngrén	16
晚礼服	（名）	wǎnlǐfú	17
晚年	（名）	wǎnnián	12
碗筷		wǎn kuài	5
万岁		wànsuì	6
望子成龙		wàngzǐchénglóng	11
围	（动）	wéi	2
围观	（动）	wéiguān	13
围巾	（名）	wéijīn	20
围棋	（名）	wéiqí	4
卫生	（名）	wèishēng	9
文明	（形）	wénmíng	6
文凭	（名）	wénpíng	4
文弱书生		wénruòshūshēng	8
吻	（动）	wěn	16
吻别		wěn bié	20
稳	（形）	wěn	6
窝火儿		wō huǒr	19
卧床		wò chuáng	18
乌龟	（名）	wūguī	18
无可奈何		wúkěnàihé	16

武术	（名）	wǔshù	2

X

吸收	（动）	xīshōu	10
习以为常		xíyǐwéicháng	17
虾	（名）	xiā	15
下决心		xià juéxīn	12
先辈	（名）	xiānbèi	1
掀	（动）	xiān	2
闲	（形）	xián	2
显得	（动）	xiǎnde	5
县城	（名）	xiànchéng	9
现场	（名）	xiànchǎng	12
馅儿	（名）	xiànr	15
献血		xiàn xiě	10
相声	（名）	xiàngsheng	18
享受	（动）	xiǎngshòu	1
响亮	（形）	xiǎngliàng	9
响应	（动）	xiǎngyìng	10
想方设法		xiǎngfāng shèfǎ	17
象棋	（名）	xiàngqí	4
像话		xiàng huà	5
潇洒	（形）	xiāosǎ	6
小气	（形）	xiǎoqi	5
小偷	（名）	xiǎotōu	19
校服	（名）	xiàofú	17
协会	（名）	xiéhuì	10
协调	（形）	xiétiáo	17
心疼	（动）	xīnténg	11
心细		xīn xì	14
心脏病	（名）	xīnzàngbìng	18
兴奋	（形）	xīngfèn	9
星球大战		xīngqiúdàzhàn	16
行李	（名）	xíngli	20
醒	（动）	xǐng	2
凶杀	（动）	xiōngshā	16
雄心勃勃		xióngxīnbóbó	1
宣传	（动）	xuānchuán	10

选择	（动）	xuǎnzé	14
学历	（名）	xuélì	14
寻找	（动）	xúnzhǎo	15

Y

压力	（名）	yālì	11
延长	（动）	yáncháng	20
延续	（动）	yánxù	15
沿海		yánhǎi	9
眼看	（副、动）	yǎnkàn	14
宴会	（名）	yànhuì	17
样品	（名）	yàngpǐn	17
腰	（名）	yāo	9
邀请	（动）	yāoqǐng	16
遥控器	（名）	yáokòngqì	16
咬牙		yǎo yá	5
夜校	（名）	yèxiào	4
一路顺风		yílùshùnfēng	20
衣冠不整		yīguānbùzhěng	17
医务室	（名）	yīwùshì	9
（一）番	（量）	（yì）fān	14
义务	（名）	yìwù	10
意见	（名）	yìjiàn	7
意外	（形）	yìwài	11
印石	（名）	yìnshí	20
印章	（名）	yìnzhāng	20
英雄	（名）	yīngxióng	1
迎	（动）	yíng	13
赢	（动）	yíng	8
赢（钱）	（动）	yíng（qián）	4
硬	（副）	yìng	19
泳装	（名）	yǒngzhuāng	17
踊跃	（形）	yǒngyuè	18
犹豫	（形）	yóuyù	11
油灯	（名）	yóudēng	9
游戏	（名）	yóuxì	11
有线电视		yǒuxiàndiànshì	16
幼儿园	（名）	yòu'éryuán	12

与众不同		yǔzhòngbùtóng	17
宇宙	（名）	yǔzhòu	16
预备	（动）	yùbèi	7
玉石	（名）	yùshí	20
冤	（形）	yuān	19
原著	（名）	yuánzhù	7
怨	（动）	yuàn	8
乐团	（名）	yuètuán	10
运气	（名）	yùnqi	8

Z

杂志社	（名）	zázhìshè	14
砸	（动）	zá	5
灾区	（名）	zāiqū	10
宰	（动）	zǎi	5
在理		zàilǐ	3
在于	（动）	zàiyú	18
脏（字）	（形）	zāng(zì)	6
扎	（动）	zhā	3
摘	（动）	zhāi	19
占	（动）	zhàn	13
战争	（名）	zhànzhēng	16
招生	（动）	zhāo shēng	11
召集	（动）	zhàojí	19
照应	（动）	zhàoying	19
折腾	（动）	zhēteng	18
折磨	（动）	zhémó	18
珍惜	（动）	zhēnxī	3
真诚	（形）	zhēnchéng	9
真丝	（名）	zhēnsī	20
枕头	（名）	zhěntou	18
争	（动）	zhēng	5
争吵	（动）	zhēngchǎo	5
争气		zhēng qì	1
正经	（形）	zhèngjing	4
证件	（名）	zhèngjiàn	19
证明	（名）	zhèngmíng	11
挣（钱）	（动）	zhèng(qián)	3

支	（动）	zhī	4
支持	（动）	zhīchí	8
知己	（名）	zhījǐ	7
知名度	（名）	zhīmíngdù	7
指导	（动）	zhǐdǎo	11
指教	（动）	zhǐjiào	1
指南	（名）	zhǐnán	18
至于	（连）	zhìyú	8
质疑	（动）	zhìyí	18
治安	（名）	zhì'ān	13
智力	（名）	zhìlì	7
中途	（名）	zhōngtú	10
忠实	（形）	zhōngshí	18
轴	（名）	zhóu	3
竹叶	（名）	zhúyè	15
主场	（名）	zhǔchǎng	8
主持人	（名）	zhǔchírén	12
主席	（名）	zhǔxí	10
助威		zhù wēi	10
专题	（名）	zhuāntí	13
专业	（名）	zhuānyè	14
转播	（动）	zhuǎnbō	8
赚钱		zhuàn qián	7
庄重	（形）	zhuāngzhòng	17
撞	（动）	zhuàng	19
资助	（动）	zīzhù	10
滋味	（名）	zīwèi	9
自杀	（动）	zìshā	15
自助餐厅		zìzhùcāntīng	1
总而言之		zǒng'éryánzhī	4
总经理		zǒngjīnglǐ	5
粽子	（名）	zòngzi	15
祖国	（名）	zǔguó	15
尊重	（动）	zūnzhòng	14
作品	（名）	zuòpǐn	15
做伴		zuò bàn	2
做操		zuò cāo	2
做鬼脸		zuò guǐliǎn	9
做梦		zuò mèng	1